巧拙無二
近代職人の道徳と美意識

千代鶴是秀が明治三十三年に作った実質的出世作。時に是秀二十六歳であり、石堂家より独立してからの最初期作である。

此ハ西郷家ノ棟梁恩田栄六殿ノ
慶需二十六歳ノ造物也命ヲ更ニ六捨
歳
昭和二十弐年秋七十有四歳誌 是秀

千代鶴是秀作寸八鉋、昭和十六年作。土田一郎が初めて手に入れた是秀作品。一郎十四歳の時である。

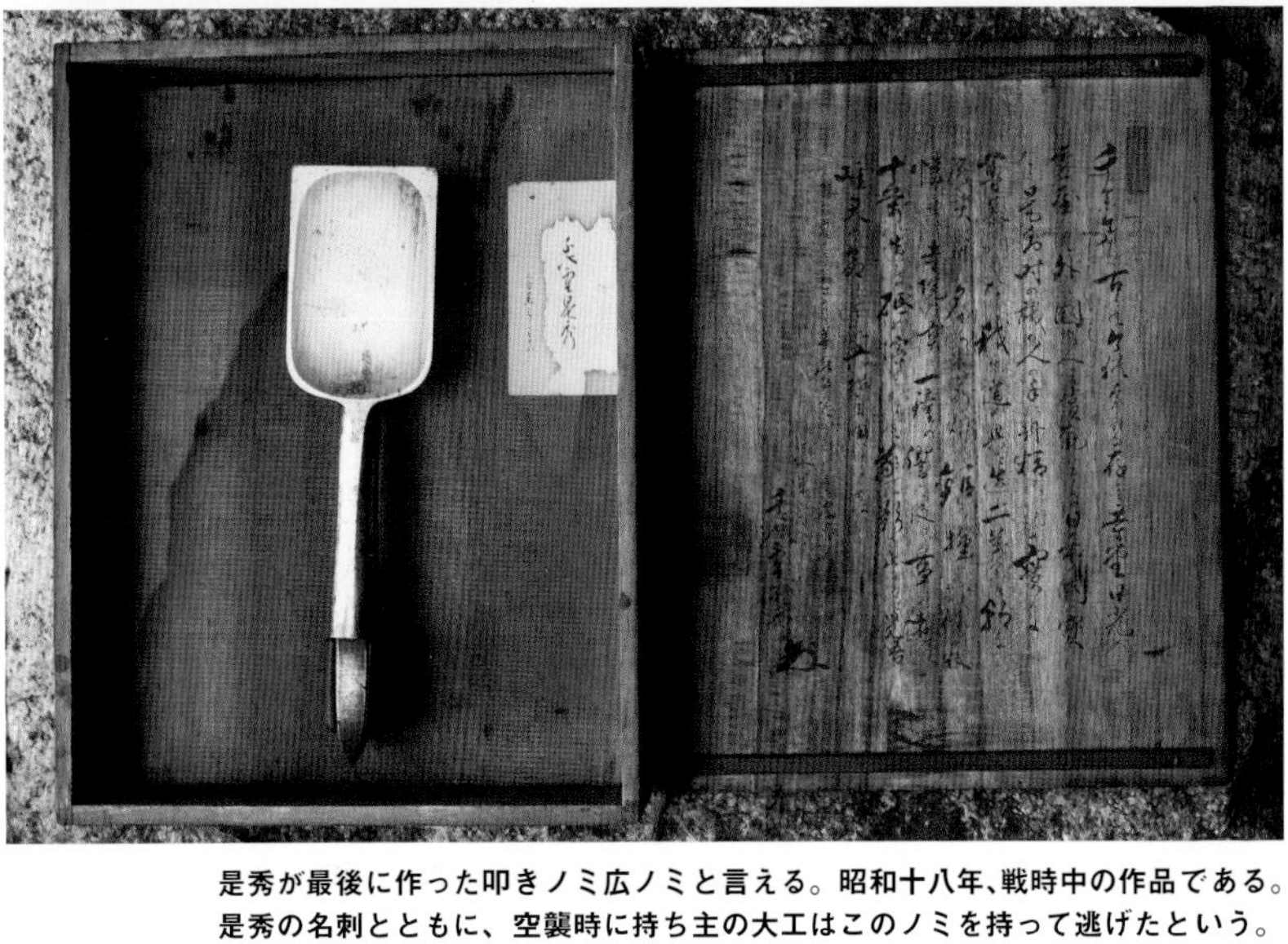

是秀が最後に作った叩きノミ広ノミと言える。昭和十八年、戦時中の作品である。
是秀の名刺とともに、空襲時に持ち主の大工はこのノミを持って逃げたという。

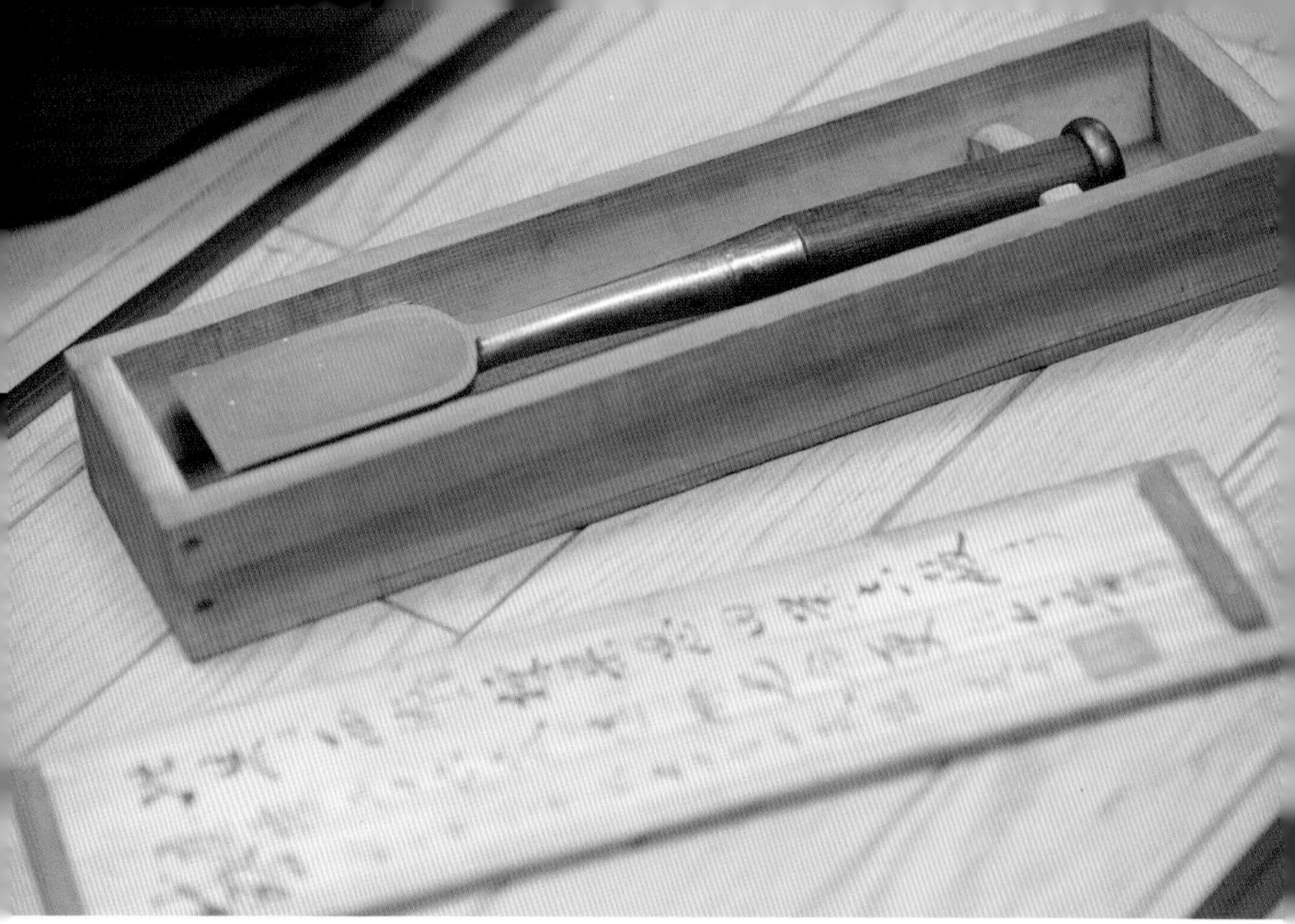

是秀の出世作は西郷従道邸出入り棟梁恩田栄吉のために作られ、恩田没後石膏型取師宮嶋一、宮嶋の弟子で是秀の娘婿牛越誠夫、そして土田一郎へと渡る。

〝春湖〟銘鉋の背部は極めて精密に仕上げられている。土田一郎が入手後、是秀のもとに持ち込むと、「この鉋は手をかけて作られたんだよ」と解説される。

ライティング＆構成　平尾文
装　　　画　高杉千明
装　　　幀　鈴木俊文（ムシカゴグラフィクス）
写　　　真　大駅寿一

目次

第三章

【追記対談】

まえがき

甲野善紀

現在、三軒茶屋《さんげんぢゃや》で土田刃物店の店主をされている土田昇《つちだのぼる》氏のお名前を初めて知ったのは、二〇〇六年の春にワールドフォトプレスから刊行された『千代鶴是秀《ちよづるこれひで》　日本の手道具文化を体現する鍛冶《かじ》の作品と生涯　大工道具を昇華させた鍛冶の記録。』（写真・秋山実《あきやまみのる》）を読んだ時だと思う。

この本は写真も多く載っている、いわゆるムック本であったが、小さな活字の二段組で文章もびっしりと載っており、もし四六判の普通の単行本にしても、かなりのページ数になるのではないかと思われた。

しかも、その中に記されている不世出と言われた道具鍛冶、千代鶴是秀のエピソードの数々は、著者がこの千代鶴という人物に深い関心を持っていながら、同時に極めて冷静に観察されていて、ある人物を浮き彫りにする評伝としては、大変上質な本であり、ほとんど息も吐《つ》かぬ勢いで読了した記憶がある。

その感動があまりに深かったので、著者に手紙を出すと同時に、ちょうどその頃《ころ》私に読売新聞社から依頼があった文化欄《らん》の「空想書店」というコーナーで、他の五冊の本と共にメインで、本書を取り上げたのである。この時、紹介した他の五冊の本とは、渡辺京二《わたなべきょうじ》著『逝《ゆ》きし世の面影』

（平凡社）、出口和明《でぐちやすあき》著『大地の母』（あいぜん出版）、レイチェル・カーソン著『センス・オブ・ワンダー』（訳・上遠恵子《かみとおけいこ》、新潮社）、福岡正信《ふくおかまさのぶ》著『自然農法　わら一本の革命』（春秋社）、無門《むもん》慧開《えかい》著『無門関《むもんかん》』（訳注・西村恵信《にしむらえしん》、岩波書店）である。

そして、この「空想書店」の本文の中に、私が土田氏に贈った『逝きし世の面影』に対して土田氏からいただいたこの本の感想も載せた。そこにはこうあった。

「この本は全面的に恐ろしい本です。なぜなら、立ち戻ることが不可能な幸福感を、これでもか、これでもかと再現し、しかも、その骨組みは異邦の者たちの記述を組子のように強靭《きょうじん》に組み上げ、編み上げてしまったものなのですから」

こうして土田氏との交流が始まったが、お付き合いが始まった当初から私は土田氏にインタビューをして、何か一冊にまとめたいと思っていた。

ただ、土田氏も自らのありように極めて誠実な方であり、単著は著されても、なかなか私との対談は了解されなかった。

「本がダメならば」と私は依頼を受けていた朝日カルチャーセンターの講座などで、土田氏と対談を行って、話を伺うという企画を提案したところ、これは受けていただいたので、二回か三回そうした講座を行った記憶がある。

その後、土田氏はこの『千代鶴是秀』の続本とも言える『是秀と、先人たちが作り出した珠玉の手道具　豊潤《ほうじゅん》かつ清冽《せいれつ》な大工道具の数々。　千代鶴是秀　写真集①』『鍛冶たちが引き継いでゆく日本の手道具文化　伝承される大工道具とその機能美。　千代鶴是秀　写真集②』（この中では、あとがきに私の名前を入れていただき、多少は何かのお役には立っているのかと、ホッともしたと同時に大変光栄に思えて、恐縮する以上に嬉しかったことを今でもよく覚えている）、そして、『時間と刃物　職人と手道具との対話』（写真・秋山実、芸術新聞社）などを世に出され、また時々店にお邪魔して話をさせていただいているうち、次第に気心も通じてきたと思われたのか、こちらからの企画にも乗っていただけるようになった。

たとえば私の武術における一番の盟友とも言える光岡英稔《みつおかひでとし》・日本韓氏意拳学会会長が主催された「今を生きる人の集い」などでも話をしていただいた。

そして、私もどういう経緯で今回の本を了解していただいたのか、ハッキリと記憶がないほど自然な形でこの対談本の企画がスタートしたのである。

もっとも了解していただいてから月日がかなり経過してしまい、二〇一七年は、みすず書房から『職人の近代　道具鍛冶千代鶴是秀の変容』という大部な本が出版され、この出版記念のイベントでも対談をさせていただいた。

ただ、こうなるとさすがに私の方も了解をいただきながら、あまりに引っ張り過ぎているのも申し訳ないと、何とか時間を取り、本書の編集を依頼した平尾文女史《ひらおあや》とも頻繁《ひんぱん》に連絡を取って、どうにか形にすることが出来た。

本書の制作に際して、対談の中で多く取り上げている道具鍛冶職人である「千代鶴是秀」という人物を話題にする時、私は「千代鶴翁《おう》」という敬称をつけている。

この理由は千代鶴是秀という職人の元へ十代の始め頃から通い始め、この「千代鶴是秀」という人物を有史以来最高の鍛冶職人として深く深く尊敬されている土田昇氏の父君である土田一郎《いちろう》氏に多大な感謝の思いがあり（何しろ、この土田一郎氏の存在なくしては、本書自体成り立ち得なかったからである）、この土田一郎氏のことを思う時、私はどうしても千代鶴是秀という人物を単に「千代鶴」とか「是秀」という形で呼べず、「千代鶴翁」という敬称を付けざるを得なかったのである。

この気持ちは私が学んだ武術において、私自身は一度も会う機会がなかったとはいえ、私が大きな影響を受けた鹿島神流《かしましんりゅう》の国井道之《くにいみちゆき》師範に対して、どうしても「国井師範」とか「国井先生」という敬称を付けずにはいられないし、また私はまったく学んでもおらず、ただある著書を通して、その存在を知っただけなのだが、その後、その後継者の方にお会いして驚くようなエピソードを伺い、一層尊敬の思いが強くなった弓道無影心月流《むようしんげつ》の流祖、梅路見鸞《うめじけんらん》老師に対しても「梅路老師」という呼び方をしないと、何とも落ち着かないことと共通しているところがあると思う。

この千代鶴是秀翁に関しては本書でも、その人柄をうかがわせるエピソードをいくつか紹介しているが、中でも嶋村幸三郎《しまむらこうざぶろう》氏とのエピソードは本当に心を打たれる。

また、千代鶴翁がある大工の依頼でノミを鍛《う》ち上げ、それをその大工に渡した時、この見事なノミに見合うような口金とカツラ（玄能《げんのう》を打ち当てる部位の金具）の製作も依頼された時のエピソードは、現代人にはなかなか理解し難《がた》いと思うが、詳しくこのエピソードについて検討することで、当時の一流の腕を持った職人を、その職人たらしめていた誇りと矜持《きょうじ》について、それがどうやって保たれていたかが理解出来るようになるのではないかと思う。

このようなエピソードを知り、噛《か》みしめることで、現代の我々も「自分が自分らしく生きるとはどういうことか」をあらためて考えさせせられるように思う。

すでに述べたように、本書の対談の中で、土田昇氏は父君土田一郎氏が有史以来最高の道具鍛冶として千代鶴是秀翁のことを深く尊崇《そんすう》されているのに対して、ほぼ一貫して冷静な態度で接しておられ、熱烈な千代鶴ファンからすれば、「もう少し、この不世出と言われた天才鍛冶職人に熱い思いを持ってもいいのではないか」と不満に思われるのではないかと思う。

私も当初は「ずいぶんと醒《さ》めた観方《みかた》をされているなあ」と思うこともあったが、今回の数年がかりの企画を通して、土田刃物店で土田昇夫人の手料理を御馳走《ごちそう》になるようなところまで親しく接していただいて、実は土田昇氏は土田昇氏自身気付かれてはいないが、父君土田一郎氏以上に千代鶴是秀という人物に関心を持ち、惹《ひ》かれているのではないだろうか？　と思うようになった。

ただ、その想いがあまりに強いために、何段階ものブレーキをかけておかないと、この千代鶴是秀という人物に止めどなく深入りをしてしまうことを、どこかで薄々感じ取られ、恐れられているのではないか？　と感じたのである。

何しろ根が極めて聡明《そうめい》な方なので（ご本人は自らをひどく謙遜《けんそん》されて「あとがき」の中で、ご自身を古典落語に出てくる長屋住まいの職人、熊さん、八っつぁんに擬せられているが）、入念に「千代鶴ワールド」に深入りしないようにされているように思えてならない。そうでなければ『巧拙無二《こうせつむに》』という素晴らしい本書のタイトルが、そう簡単には出てこないと思う。

この「巧拙無二」の四文字は、もう察しのいい読者の方はお分かりかと思うが、千代鶴是秀翁が好んで使われたとのこと。「巧みさと拙《つたな》さは別のことではない」というようにも読めるが、それ以上の解釈は書かない方がいい気がする。

なぜなら千代鶴是秀という人物をあまり知らない時と、かなり知ってから、そしてさらに深く知ってからでは意味が違って感じられると思うからである。

とにかく土田氏にいろいろと伺う形で本書を書いたことで、私自身どれほど多くのことを学べたか分からない。

あらためて土田昇・土田刃物店店主と、土田昇氏の父君、土田一郎氏に深く御礼を申し上げたい。また、加筆に次ぐ加筆を面倒がらず誠実に仕上げていただいた平尾文女史にも感謝したい。

そして、土田昇氏と二人で対話をしているうちに、あまりにもコアな「専門的な関心を持つ人たち向け」になり過ぎてしまった観のある本書を「是非出したい」ということで、クラウドファンディングによって資金を集め、立ち上げた出版社の第一作として世に出すことに、多大な労をおかけした剣筆舎代表の永田勝久氏には深く御礼を申し上げたい。

本書が衰退してゆく日本の木工文化に、何かまったく新しい道を拓《ひら》いてくださる方の目に留まることを祈って「まえがき」を終わりたい。

己亥之年　十二月日

第一章

仕事道具に触るのは感覚が育ってから

甲野　最近は、左官が街で働いているのをまったく見かけなくなりましたね。昔は、ちょっと歩けば大工はもちろん、左官の職人さんもよく見かけたものですが。

土田　そうですね。

甲野　まだ私が小さい頃は、家を建てているところを通りかかれば、左官はごく普通に見かけましたし、いかにも職人さんらしい人たちが町を歩いているのと、よくすれ違ったものです。道具箱を担いで歩いていたり、仕事をしていたりする姿は、子どもにとっては憧《あこが》れでした。
今は、そういう身体《からだ》の使い方が上手な大人を本当に見かけなくなりましたね。そういう大人を見て、身体の使い方を覚えるという環境は、今にして思えばとても重要だったと思います。

なぜなら、日本に育っていれば自然と日本語を、アメリカで育てば別に習わなくても英語をしゃべることが出来るのと同じように、上手な身体の使い方をしている大人たちをよく見ていれば、子どもたちも自然とそうした身体の使い方を受け継いでいけると思うからです。

最近の子どもたちがひどく不器用だったり、ろくにしゃがむことが出来なかったりするのは生活環境の問題もありますが、身近で身体を上手に使って働いている大人を目にする機会がなくなってしまったことも大きな理由だと思います。

大袈裟《おおげさ》に言えば、有史以来、連綿と続いてきた、そうした基本的な身体使いの伝統が、ここ数十年でほとんど途切れかけていると言っても、いいのではないでしょうか？

土田　私が木工具に関わる仕事を始めて、三十五年以上経《た》ってしまいましたが、木工具の分野においても、この三十五年は衰退に次ぐ衰退の歴史と言えるでしょう。もっとも衰退自体は、もっとずっと以前に始まっていたと思います。

私が父を手伝い、多くの職人さんの所へ通うようになって驚いたのは、その職人さんたちが、老人ばかりであったということです。

衰退していく分野なのですから、後継ぎがいない例が多く、若者があまりいなかったからだと思います。

私は勉学に励まなかったがゆえに、安易に家業につくことにしたのですが、足を踏み入れて感じた「衰退」の気配に、正直「ちょっとマズい道に足を踏み入れてしまったかな」と思いました。

ところがね、そのご老人方が達者なんです。未熟者で道具のことなどまるで分かっていなかった段階の私が見ても、その仕事ぶりは、目が覚めるような鮮やかさで。必要なことをすべて達者にこなされていました。

甲野　その辺りのことは、いままでにも土田さんから、いろいろなお話を伺いましたが、本当に凄《すご》いですよね。

土田　達者と言っても、一般的に言う、健康的な身体って意味ではありませんよ。喫煙・飲酒率は異常に高いのが職人の通り相場でしたし、現場仕事というのは、無理を強《し》いられる場ですし、鍛冶屋や台《だい》屋や柄《つか》屋の仕事場だって危険がいっぱい。身体工学を無視したような作業状況であったと言えます。

それを続けてきたご老人方なのですから、腰が痛い、膝《ひざ》が痛い、目が悪くなって細かな字は読めない、なんてことが当たり前でした。

でも、仕事をさせると凄いんです。正確で速く、滞りがない。そして、今考えてみれば、木工具に関わる技術者の永い歴史において、最上位の技術保持者が何人もいました。

当たり前ですが、先達の工夫の積み重ねで進歩してきた技術なのですから、私が会ったご老人方のうちの何人かは、過去のその分野の名人・名工たちを凌駕《りょうが》していたと思います。

そこには、頬《ほお》ずりしたくなるような卓越さが存在していて、そんな人たちの技術こそ残していかねばならないと強く思いました。

甲野　「頬ずりしたくなる」というような表現は、ちょっと今まで伺ったことがありませんが、土田さんもやはり、そういう職人の仕事に心底惚《ほ》れ込《こ》まれているのですね。

土田　上手な職人が自分の使う道具を非常に大事にする習性に似ているのかもしれません。そういう人たちは、生活を切り詰め、やっと手に入れた名工品に本当に思い入れがありますから、枕元に置いて寝たりします。

まだ研がれてなくて台にすがって[1]ない鉋刃《かんなば》、柄《つか》にすがってない玄能の頭をながめすかし、どう実用域にまで持ってゆこうかと思案したり、「上手《うま》く機能してくれよ」と祈ってみたりするのでしょう。これって頬ずりするような行為でしょう?

千代鶴是秀の弟子で延秀《のぶひで》という鍛冶屋なんて、自分が炭割《すみわり》した炭粒を寝床に持ち込み、その破面をながめていたそうです。師匠の是秀も、弟子の熱心さは分かっても困ったでしょうね。布団《ふとん》が黒くなっちゃうでしょうから。

1　**すげる**—仕込む、据え込まれていないという意。鋸刃と鋸台、ノミとノミ柄、玄能と玄能柄が装着、連結しうるよう台や柄を加工し一体化する工作。

私もちょっと過剰な、それら技術保持者のおじいちゃん方への愛着があったのかもしれません。

甲野　私も最初、自分の刀を手に入れた時は、ほとんど抱くようにして帰った記憶がありますから、そういう人たちの気持ちはよく分かります。

その最初に手に入れた刀は、「芸州国長《げいしゅうくになが》」という、刀の銘鑑にも載っていないような新刀期の刀で、私の好みとは少し違っていた気もしていたのですが、手が震えるほどの思いをして手入れをしていました。

それから馴染《なじ》みになった刀屋に入《い》り浸《びた》ったりして、いろいろと教えてもらい、自分の好みがハッキリしてからは、最初に買った刀も手放し、新しく買って、またそれを売って……と次第に自分の好みに合った刀へと的を絞っていきました。

土田　私も一番始めに与えられた小鉋《こがんな》は、中流品といったものでしたね。玄能柄や鉈《なた》柄を削るために父がくれたんです。父用の鉋《かんな》を始めは使わせてもらっていたのですが、共用っていい部分も悪い部分もあるのです。

いい部分は、父の道具調整技術が学べること。悪い部分は親子で同じような技術で使用していても、互いに微妙な差があって、使いづらいことがあること。たとえば私が使って刃が切れなくなって研ぎ直して返却します。それを父が使うと、ちょっとした違和感がある。その逆も当然あるわけです。

もちろん、二人とも同時に使いたい時に、鉋一丁《ちょう》では不都合なこともあります。だから、自分用を与えられた時は、嬉しかったですね。「親父《おやじ》のいい加減な調整に付き合わなくてもよくなったんだ」と心から思いましたから。

今から思えば、あれだけの適当な研ぎで玄能柄を削り上げていたのですから、父の技術も捨てたものではなかっただろうとは思いますけど、当時はいかに高精度化を図るかで、私はやっきになっていた時期でしたので、少なくとも父の研ぎは許せなかった。ですから自分の鉋という存在そのものが愛《いと》おしかったです。

そして、ほぼ何も教えてくれない父に比べれば、訪ねて問えば、「ほいきた」とばかりに技術を公開してくれるご老人方がいた。どちらも宝物でした。

でも、時代の流れ通りに消えていってしまうんですね。

ただ、私が幸福であったのは、そのご老人方にとても可愛《かわい》がられたことです。若者が珍しいわけですからね。「兄ちゃん、父親の後継いじゃったの、バカだねぇ〜。他にいい仕事なかったの？」なんて、冷やかしつつ、見惚《みほ》れるような仕事ぶりを慎ましく公開してくれたのです。

甲野　熟練した職人の方々の動きというのは、身体の奥まで染み込んだ機能美そのものですから、無意識に取る動作が実に絵になっていたでしょうね。

ただ、そうした何気ない、無意識のうちに働いている動作というものは、本人にとっては当たり前のことですから、これを言葉ではなかなか教えられないんですよね。

だから、見て覚えるということになるわけですが、これも子どもの頃から自然と動きを見取るという訓練が出来ていないと、なかなか難しいように思います。

土田　そうですね。「親父の仕事なんか継いでやるもんか」と思っていた時期もありましたが、狭くて小さな家の中で仕事する親父と隣接して育ってしまったわけですから、正式に入門する以前に、何かしらの影響はあったのかもしれません。

子どもの頃、目割の細かな鋸《のこぎり》の目立《めたて》[2]をしている父の前を通ろうものなら「あっち行ってろ」と叱《しか》られました。「あっち」ってほどの奥行きがないからこそ、前を通らざるを得なかったんですがね（笑）。

でも、父が鋸をヤスリでするリズムは整然としてきれいでしたよ。焼きの入った鋼《はがね》をヤスリで擦《こす》って研磨するんですから、音そのものは不快な騒音以外の何ものでもないんですが、刃列の端から端までキュッキュッて、そして鋸をひっくり返してまたキュッキュッて研磨していく。それを父ばかりでなく、祖父もしていたのですから、騒音の二重奏です。

2　**目立**―鋸の歯を一つ一つヤスリによって鋭く研磨していく作業。

だから、祖父も父も耳が遠くなったんじゃないかなと思います。二人とも、うずくまって競うように不快音を生産していたんですから。

そんな環境下で育ち、門前の小僧が何を得られたのか、私自身にはよく分かりませんが、少なくとも正式に入門するまでは、家にある木工具は触れさせてもくれませんでした。つまり、「あっち行ってろ」「触るな」で育ちました。

甲野　確かにヤスリで目立をする音はいい音とは言えませんよね。ですから、その不快音の対応策としては、その音が気にならないくらい、目立という仕事に集中する必要はありますよね。

土田　集中と言っていいのかもしれません。目立は鋸の刃列から目が離せない作業と言えます。特に目割の細かい鋸は、作業中に目を離すと自分がどの刃を擦っていたのかが分からなくなりますから、端から端まで順々に擦り通してしまうまでは顔を上げない。

騒音の二重奏を奏でた二人は、互いの動作は視界に入れることが出来ず、音だけで自らの仕事と相手の仕事を確認し合っているようなところがあったと思います。「あのやろう、今日は妙に硬い鋸を目立してやがる」「親父がすり込んでいる鋸は[3]玉鋼《たまはがね》だな」なんて具合に、です。

そんなところも、つくづく言語の文化じゃないんだなと思います。耳も悪くなりゃ頭も悪くなる仕事かもしれません。

甲野　音を気にしないのではなくて、その不快音の中から技を探っていたんですか。さすがに職人ですね。

そういえば、力のある優れた鋸ほど目立するにもヤスリが消耗《しょうもう》するし、板を直すのも骨が折れて大変ということでしたね。

土田　はい。強靭に鍛え、熱処理された鋸板《のこいた》は研磨である目立が大変なばかりでなく、鋸鍛冶《のこかじ》が板をスいて製作する際も、また使用者が挽《ひ》いて使う際も、高度な技術を必要とします。もちろん上手に使えば、持久力がある良い鋸ということになるのです。

甲野　話を土田さんがこの道に入られた時のことに戻しますが、よく昔の職人は親方の元へ弟子入りしても、最初のうちは何も教えてもらえず、雑用ばかりさせられるという話がありますね。

こういうやり方に対して、今はかなり批判的意見が多いようですが、私が思うに、この方法は失敗体験をさせないためだと思うのです。

このことは本などに何度か書いていることですが、あまりにも素人《しろうと》的な感覚しかない初心者には教える気もしないでしょうし、入

3　**玉鋼**―砂鉄を原料にした古来の方法（たたら製鉄）で製鋼した鋼。

門したての弟子に雑用をさせていれば、その弟子は雑用をしている間に親方の作業を見て、感覚で「こうするのかな、ああするのかな」という探究心が育ってきて、だんだん「出来る」感覚が、芽生《めば》えてくるのだと思います。

そうした様子を親方は見ていて、ある時期がくると、「これ、やってみるか」と、実際に仕事をさせてみる。そうすると、案外、すらすら出来たりするのだと思います。もちろん、まだ上手には出来ないでしょうが。

弟子入りした最初から、何の感覚も育っていないうちに仕事をさせられるよりは、ずっとマシなものが出来るし、何よりも、弟子入りしてすぐ、右も左も分からないうちに不慣れな作業をして失敗体験を繰り返してしまうと、「これは難しいなぁ」「自分には出来そうにもないなぁ」という挫折感ばかりが大きくなってしまうことがあるので、そうした無用な失敗経験をさせないためにも、最初は雑用ばかりさせておくというやり方が、職人の間では、よく行われていたのではないでしょうか。

土田　仕事をさせるのは感覚を育ててから、というのはあったかもしれませんね。

私も始めに親父に命じられたのは、仕事場にある大工道具の手入れでした。鉋、鋸なんかをひたすら、油ひきするわけです。始めの半年はそれだけ（笑）。それから一年半ほどは簡単な研磨を含んだ、やはり手入れ作業。

当時は親父への反発心もあって、「まだこれをやるのかよ、そろそろ、ちゃんとした仕事させてほしいな」と思ったわけですが、今にして思えば、あれは道具に対する身体感覚を育てるためだったかもしれませんね。

道具の形や厚み、重さや材質を触って、使える道具の感触の基準を作るというか、「しっくりくる」とか「馴染みのいい」という感覚を、何となく身に付けさせる目的があったのだと思います。実際に名工の作った凄い作品を持ってみると、やっぱり違いましたからね。

甲野　それは骨董屋《こっとう》が新しく小僧に入った者には本物ばかり見せて、本物の質感、オーラのようなものを感じ取らせるという話と共通しているところがありそうですね。

道具鍛冶の名工・千代鶴是秀の修業始め

甲野　土田さんが経験されたような「感覚を育てる修業」は、どんなに才能があると思われる者に対してでも行われたのでしょうね。

土田　そうですね。道具鍛冶の名工中の名工と言われる千代鶴是秀が寿永《としなが》に入門して最初にやらされた仕事は、焼刃土落《やきばつちお》としという作業でした。

千代鶴是秀が八代目・石堂《いしどう》寿永の元に入門したのは、明治十七年、十一歳の年齢だったそうです。石堂家は刀工名家でしたが、明治の世になり、道具鍛冶に転身していました。是秀にとって、八代目・石堂寿永と、その先代七代目・石堂運寿是一《うんじゅこれかず》は年齢的に近く共に実の叔父《おじ》さんという関係でしたので、血縁者の所へ入門したことになります。そこで初めてやらされた作業が、焼刃土落としという作業だったそうです。

甲野　日本刀の焼き入れ[4]の際も、刀工が思い描いた刃文を出すために、また刃部をよく斬れるようにして、刃の部分以外の地や鎬《しのぎ》などはあまり硬化させないために、焼刃土を塗るという作業がありますね。この焼刃土を塗るということを知らない人も多いと思いますので、その辺りを説明していただけますか。

土田　はい。今お話に出たように、焼刃土とは刃物や刀剣を焼き入れ硬化させる際に塗る耐火粘土《たいかねんど》のようなものです。
焼刃土の塗り方で製品（刃物や刀剣）の硬化度合を調整することが出来ますし、焼き入れ加熱による製品表皮の酸化膜《さんかまく》[5]の発生を防ぎ、粘土の給水作用によってムラのない冷却が可能になるのです。

4　焼き入れ—鋼を硬くするため、その鋼の組織構造が変化する温度以上に鋼を熱した後、急冷させる熱処理。

5　酸化膜—赤く熱した鉄が酸素に触れると、酸化作用が働き、鉄が侵食され膜状のものが生成される。これを酸化膜という。酸化膜化したものが、鉄の表皮にあるまま、冷却しても焼きが入りにくい。

甲野　何も塗らないと、焼き入れをする時に、十分な焼き入れ効果が得られない蒸気遮断がおこり焼きが入りにくくなるのでそれを防ぐ意味もあるのですね。

この蒸気遮断とは、焼き入れをするために赤く熱した製品を水に入れたとき、その時に発生する泡によって、焼き入れしようとする製品と水とが隔てられることを指すわけですが、刀剣の場合は、その蒸気遮断を利用した「ズブ焼き」とか、「素焼き」と呼ばれる焼刃土を塗らない焼き入れ方法もありますが、これはあまり知られていませんね。

ただ、この方法では直刃《すぐは》とか湾《のたれ》といった刃文は出せず、丁子乱《ちょうじみだ》れのような刃文以外は出来ませんけどね。

土田　刀剣の場合は塗った土の質や厚みによって硬化すべき所と、してはいけない所を調整し、いわゆるテンパーライン[6]としての刃文を作り上げます。

大工道具の焼き入れは、それほど技巧を要するものではなく、鋼に一定に塗るだけですから。その役割は、今も話に出たように、加熱時の酸化膜発生を防止し、また水冷時の沸騰蒸気を防止する、す

6　テンパーライン―焼き入れ効果がなされた部分と、なされなかった部分の境界線を言う。これが刀剣で言えば刃文にあたる。

なわち速く一定に冷却出来るようにするためのものです。

甲野　大工道具のテンパーラインは、地鉄として炭素量が低い鉄を使っていて、それに炭素量の高い鋼を鍛接《たんせつ》してあるので、焼刃土の塗り方を気にしないでも、自然とテンパーラインが出来ますよね。

それから、焼き入れの際は焼刃土を使うことが一般的ですが、味噌《みそ》を使ったという話もありますね。特にヤスリなどには。

土田　ヤスリの焼き入れに、焼刃土の代わりに味噌を塗る技法はよく知られています。昔はヤスリを作る工場の近くに行くと、味噌の焦《こ》げるいい匂《にお》いがしたものです。

なぜ味噌を使ったのかと言えば、その塩分に秘密があります。焼刃土もしくは冷却水に塩分が混ざっていると、焼きを入れるものの、冷却速度を早めることが出来るのです。

千代鶴是秀の水槽《すいそう》は使い古された漬物樽《つけものだる》でした。漬物樽に染み込んだ塩分が関係していたのかもしれません。

ただ土に埋設《まいせつ》して水槽とするのですから、意外に早く劣化し、ダメになります。父は是秀の水槽がダメになり、使い古しの漬物樽を探して来て提供したことがあったそうです。それも使っているうちにダメになり、是秀はその後コンクリートの防火用水槽を埋設し、亡くなるまで使いました。

焼き入れ方法にソルトバスを使うものもありますので、効用は確実にあるのでしょうけれど、塩分が強ければ鉄はサビますからね。

もっともヤスリは水冷した後に洗浄し、油を塗布しますから、サビにくいかもしれません。ヤスリも鋼材《こうざい》が上等な時は土、炭素量が少なく硬度が出にくいものは味噌なんて、方法の使い分けをしていました。

それにしても、ヤスリの焼き入れは味噌が焦げた匂いがして、鋸の焼き入れは菜種油に、ジュッて浸《つ》けるんですから、職人の仕事場とはいえ、いい香りだったでしょうね。

甲野　そうかもしれませんね。今、油焼き入れの話が出ましたが、玉鋼《たまはがね》つまり、さきほども話に出ましたが砂鉄からタタラ製鉄で作った日本刀の材料になるような和鋼《わこう》は、油焼き入れでは驚くほど焼きが入りませんよね。鋸を菜種油で焼き入れしたという話は有名ですが、鋸の場合は薄いから油でも入ったのでしょうが、厚手の刃物の場合、油ではあまり焼きが入りませんね。

土田　玉鋼は確かに焼き入れ性が良くなく、油で冷却するとその速度が遅くなるために、さらに硬化しにくいでしょう。先生がおっしゃるように、鋸は極めて薄い鋼板《こうはん》であるために油でも硬化し得る冷却速度が得られたのでしょう。

鋸板は薄い鋼のムク板ですので、水ではヒビ割れだらけになってしまいます。鋸には油焼き入れがちょうど良いと分かり、し始めたのは会津《あいづ》の鋸鍛冶と言われています。そして明治にかけて全国に広まります。

甲野　鋸の焼き入れは、油焼き入れが広まる前は、泥に入れたという話もありましたが、泥でも、ある程度の焼き入れ効果はあったのでしょうか？　まあ効果がなければやらないでしょうけれど。

土田　そう、昔は泥とか砂ですね。でもほとんど焼き入れ効果はないですね。ですから昔の鋸鍛冶は鍛えの回数を減らして、脱炭《だったん》しないように炭素量の多い鋼を使ったんですよ。

甲野　なるほど。炭素量が多ければ、焼きを入れなくても、それなりの強さ硬さがありますからね。でも鍛えの回数が少なければその鋸に使う鋼は不均一なものになってしまうでしょう。

土田　ええ、だから鋸鍛冶は本当に大変だったと思いますよ。

まあ、鋸はノミ、鉋ほどに硬くする必要がありません。ヤスリで目立（研磨）出来なければ使えませんから。

ノミ、鉋のようにヤスリもかからないくらい高硬度にせねばならぬものほど、早く平均冷却せねばならず、焼刃土はそのために不可欠だったのです。

そのような焼刃土を、焼き入れ[7]するために赤める前に塗り、加熱・冷却した後、製品に付着している焼刃土を、水に浸《ひた》した藁《わら》たわしで擦って除去することが、焼刃土落としです。

焼刃土落としは、入門したての小僧がする仕事としてはうってつけです。何しろ、製品の質にまったく関わらない作業なのですから。
よく鍛冶修業においては、下《した》っ端《ぱ》職人は炭割《すみわり》をやらされるなんて話がありますが、炭を鍛冶仕事に使えるように、ほどよい大きさに割っていくことは、意外に繊細な要素を含みます。炭粒の大きさ・形状によって、火床《ほど》内で燃焼する際の炎の性質が変化するからです。ですから、入門したての右も左も分からぬ者が分担していいものではないはずです。炎の質は直接作るものの内容に影響してしまいますから。

甲野　ああ、確かにそうですね。

土田　それに比べて、焼刃土落としは、もちろん、それを行う者の性格によって、とても丁寧《ていねい》に土が落とされていたり、いい加減な不均一な落とし方になったりすることもありますが、その違いで、刃物の質や刀剣の刃文が変化してしまうことはありません。
さすがに伝統ある刀工家ならではの修業の合理性があるものだと思います。雑用にしても、初心者がしてしかるべき工程を割り当て

7　**焼き入れするために赤める**―鋼を熱して赤くする。

8　**火床**―鉄を赤めるための炎を起こすところ。炉のようなもの。

るのです。

甲野　なるほど。それはよく考えられていますね。

土田　あと、焼刃土落としには、もう一つ大きな意味が隠されています。

　石堂家、そして千代鶴是秀の実家である加藤家では、焼刃土に京都黒谷《くろだに》で採取される土を代々使ってきました。そして、是秀や秀一《ひでかず》、秀一の弟子で昭和全般にわたって仕事した石堂輝秀《てるひで》も、最後まで、その同じ焼刃土を使用しました。一般的には、大工道具鍛冶は、砥《と》ノ粉《のこ》[9]と呼ばれるものを使うことがほとんどでしょうけど。

甲野　刀剣の場合は、粘土と炭の粉、それに砥石《といし》の粉三種類を混ぜ合わせたものを基本に各刀匠《とうしょう》秘伝のものを加えたりするようですが、石堂家で使っていた黒谷の土というのは、粘土だけだったのでしょうか？

土田　刃物の場合はそうです。炭粉をほんの少し混ぜてやってみた

9　砥ノ粉—これも一種の土。黄土を焼いてつくる。

ことはありますが、刃物の場合はどこにどう違いがあるのやら分かりませんでした。石堂輝秀さんは最後まで黒谷の土を焼刃土にしていましたが、何か混ぜた様子はありませんでした。

　もちろん輝秀が刀剣を製作する際は黒谷土をベースにして、石堂家に伝わる焼刃土を作ることとなるのです。

　焼刃土の効用としては、黒谷だろうが、市販の砥ノ粉だろうが、ノミや鉋を作る場合は変わりませんが、作刀時には意味があって、是秀や秀一、輝秀も黒谷の土を選択し続けたのでしょう。

　この黒谷の土は、砥ノ粉を焼刃土とした時より、焼き入れ後の鉄肌が、ほんの少しツヤめく効用がありますが、どの道、砥石で研いでしまえば、鉄肌表皮は失われるのですから、同一の硬化に至るのであれば、両者の違いの意味はありません。

　ただ、黒谷の土は砥ノ粉に比べ、製品へのかじりつき[10]が良く、焼き入れ後も砥ノ粉より、その洗浄除去が大変なのだそうです。砥ノ粉は、私も鍛冶作業で使用していますが、適正温度で焼き入れした後、それを水に浸けて指で擦れば簡単に剝《は》がれてしまいます。黒谷のものは、確かに藁たわしを用いた方が有利と感じる、かじりつきの頑固さがあります。つまり、黒谷の土は落としにくくて、使いづ

10　かじりつき―定着力。

らいのです。

甲野　刀剣の場合は、焼刃土が焼き入れをした瞬間に、バラバラ剝げ落ちてもいけないし、いつまでも付いていてもいけないと言われていますよね。まあ、焼き入れで、急冷されることで刀身には反りが生まれますから、その時は当然、刃に塗ってある部分の土が自然と落ちるわけですが、道具刃物は刀のような長大さはありませんから、焼刃土があまり落ちることはないのでしょうか。

土田　いや、水冷時にもちゃんと落ちます。それは焼刃土の塗った厚みにもよりましょうが、地金部分はまったく焼刃土は剝離《はくり》しませんが、鋼部分はやはり膨張変形によって少し落ちるのでしょう。

また焼き入れ温度が高いとガサリと落ちたりします。鍛冶屋たちはガサリと落ちてしまい鋼部が黒色ではなく、灰色に上がった部分をハデと呼びます。つまり酸化膜としての黒皮が定着しなかったわけです。

是秀はゴマ状にハデた焼き入れ度合を理想としていました。黒皮と灰色が細かく紋様《もんよう》化したものをゴマハデと呼びます。でも、それとて個人的な判断材料でしかありません。是秀が使った焼刃土で、是秀が塗ったその厚みという条件の元でゴマハデとなれば、かなり適正な焼き入れ温度であったというようなね。

とにかく焼き入れ時の剝離は、刃物においては鋼部分でしか起こりません。そして、鋼部分も大方は残存しています。それを焼き入れ後、洗い落とします。洗い落とし自体は何ら刃物の質に影響しない行為、作業ですので、作業効率上は洗い落としやすい焼刃土を使うことが合理です。

では、なぜ是秀や秀一、輝秀は、黒谷の土のような落としにくいもの、使いにくいものを、わざわざ選択し続けたのか、という疑問が湧きますよね。

単なる伝統堅持の意志によるものでしょうか。私は違うと思います。入門初心者にやらせた、手のかかる反面、製品の質には何ら影響しない作業こそは通過儀礼である以上に、弟子が師の作りあげたものの形状や肉回し[11]をより長い時間体感し、指先、手の感触として覚えさせる、かなり合理的な不合理だったのではないかと推測出来るのです。

師寿永が作った大工道具も、当時の他の道具鍛冶が作ったものに比べれば段違いに形状が良く、高精度に出来ていましたから、是秀も石堂秀一も、焼刃土落としをしながら行き着かねばならない技術レベルの概要を体感していったに違いないと思うのです。

11　肉回し—肉置とも。製品の厚みの配分。

TC-SXG1-A
KALDI

PEAR
りんご
上天草

「お前が本で学んだことではない、お前の一言を言ってみよ」

甲野　土田さんは、お父様から「これは、こうするんだよ」みたいな指導は受けられましたか？

土田　ありませんでしたね。親父の見よう見まねと、他の職人さんに聞いたりして、ほとんど独学でした。親父は私の作った道具を見てダメだったら、無言で突き返すだけ（笑）。

甲野　修業時代の職人の作ったものは、ある程度出来ても、最初は売り物になるレベルではないでしょうから、親方に否定されてしまうのでしょうね。
以前伺ったお話で、鉋の台屋の伊藤宗一郎さんでしたか。鉋の台を五つ作って置いておくと、翌日、親方にマサカリで全部真二つに割られている。毎日その繰り返しで、がっかりしたけれども、そのうち、たまに割られないものが出てくる、というお話がありましたね。

土田　そう。そして最終的には、五つ全部割られないようになった、というお話ですね。でも、なぜダメだったかは教えてくれない。だから、そこから親方の作ったものと見比べたりして、

「なぜダメだったのか」という研究が始まるわけですよね。

甲野 つまり、失敗を潰《つぶ》していく、ということですよね。

土田 失敗を潰すために、失敗が何たるかを自分で発見していく道程とでも言いましょうか。父は私に対してだけではなく、店にこられる職人さんに対しても、同じような姿勢でのぞんでいました。

今は、もう中堅の工芸家となり立派になられた方なんですが、若い頃、父の元へ来られ、刃物の研ぎを習いに通った人がいます。父は、その方が一所懸命、仕事が終わってから、研ぎ上げたものを批評する立場であったわけですが、その工芸家は父の所に持って行くごとに「もう少し研いでいらっしゃい」を繰り返されたそうです。

学ぶ側は、始めのうちは研いでは持って行き、「もう少し研いでいらっしゃい」を言われるだけの反復に耐えます。しかし、何の指示もヒントもなく、「もう少し研いでいらっしゃい」だけなのですから、当然、迷いますし、本当に父がその方に教える気があるのか否かも疑い始めたそうです。

そして、何回も通い、例のごとく「もう少し研いでいらっしゃい」を言われた際、おそらく勇気をふりしぼり、迷いと疑念をぶつけるように「もう少しって、どこをどう、もう少し研いでくればいいんですか」と返したそうです。すると父は「もう少し研いでいらっしゃい」とアドバイスしたそうです。

甲野　あはは（笑）。

土田　下手な禅問答のようでもありますし、いかにも不親切、非科学的とも言える対応ですよね。砥石の面直しのタイミング、砥石上で刃物を行き来させるストロークの大きさ、砥石上に刃物をどのくらいの加圧度でおしつけるか……上手にいかない理由を探し出すための要素はたくさんあるのですから。この話をその工芸家から聞いた時は「何か一言言ってあげれば良かったのに」と思いました。

しかし、長年、道具屋を続けてきて、多くの入門したての職人の卵に会ってみて分かるんです。父のやり方の意図がね。

真面目《まじめ》に続けていれば、大抵《たいてい》の方は研ぎ上手になります。なりますけれど、その「ああ、いい研ぎになったね」って言ってあげられるタイミングは人によって違うんです。

中には勘《かん》の良い方もいて、「もう少し研いでいらっしゃい」を言われて、一週間後には、こちらがのけぞるような精度を獲得する若者もいます。逆に、五年も六年も通って、やっと、その域に行き着く若者もいます。世間では前者を天才と呼び、後者を凡人と呼んだりするのかもしれませんね。

しかし、実は、行き着いてしまえば同じだと、私は思うんです。同じ精度の研ぎが出来るのですから。自ら目からウロコをひっぺがす瞬間が大事なのであって、それまでの期間など大きな問題ではありません。ましてや、他人のアドバイスや簡易に入手出来る情報によって、目のウロコのひっぺがしに成功したからといって、威張れたものではないでしょう。

大体、それでは技術を身に付けるというよりは、情報を収集したに過ぎません。情報収集に一所懸命になれる方はいいのかもしれませんが、私はつまらなく思います。本質的な情報は自らが触れたものからしか得られませんし、触れている時間が長いということは、本質度を深められる幸福な期間に思えます。何も教えてもらえないことには意味があるのです。

甲野　お話を伺っていて「香厳撃竹《きょうげんげきちく》」の故事を思い出しました。

この故事というのは、潙仰《いぎょう》宗の開祖・潙山霊祐《いざんれいゆう》の門人となった香厳《きょうげん》智閑《ちかん》が師・潙山に「お前は大層な秀才だと言うが、私はお前が本で学んだことではない、お前独自の一言が聞きたいのだ。それを一言、言ってみよ」と課題を出された、という話です。香厳はその問いにさまざまに答えますが、潙山は「それは何々の本にある」「それは誰々の言った言葉だ」「そうではなくてお前の一言が聞きたい」と責め立てます。

答えに窮《きゅう》した香厳はそこで降参して師に指導を求めますが、潙山は「教えれば私の言葉でお前のものではない。私はお前の一言が聞きたいのだ」と突っ放します。そこで香厳はつくづく自分は才能がないのだと思い、それまで大切にしてきた書物や書き溜《た》めてきたものを焼き捨て、南陽《なんよう》慧忠国師《えちゅうこくし》の墓所に庵《いおり》を結んで、ただの僧として暮らしていきます。

しかし、そうした日常の中でも、ずっと誰からも教えられていない自分の一言を探していたのでしょう。ある日、掃除の後のゴミを近くの竹やぶに捨てたところ、ゴミに小石か瓦《かわら》の欠けたものが混じっていたのか、竹に当たってカーンと音を立てます。その音を聞いた瞬間、香厳は言葉にならない自分の一句を自覚し、感動に震えて身を浄《きよ》め、香を焚《た》いて、遥《はる》か潙山の住む方向に向かって礼拝し、「あの時あのように突っ放していただいたので、今日の自分があり、これは父母への恩にも勝るものです」と歓喜の涙を流したそうです。

土田　「もう少し研いでらっしゃい」と少し似ているような話ですが、もっと高級な匂いのする話ですね。手折《たお》った花を示され、キョトンとしてしまうのか、微笑《ほほえ》むかの違いなんて、私にはよく分かりませんが、人間は解釈の工夫をし続けた末に、自らの片腕を切り落としてみたり、ゾウリを頭の上にのっけてみたりするのですから、興味深くもあるものです。

禅の公案や問答のお話は、確かに考え過ぎていたことをチャラにして、からっぽだった自分に気付かせてくれたりしますから、爽やかでもあり痛快でもあります。ただ、それだけでは目の前にあるノミが上手に研ぎ上げられていくわけではないというのが私の実感なんです。

変な譬《たと》えになるかもしれませんが、大燈《だいとう》国師に髪を剃《そ》るカミソリを研がせたら下手くそで、農家のじいさんに鎌を研がせて、それがめっぽう上手であったとしたら、私は農家のじいさんを信じます。

甲野　『天狗芸術論《てんぐげいじゅつろん》』という江戸時代の中期に佚斎樗山《いっさいちょざん》という人物が書いた武術書に、「心体開悟したりとて禅僧に政《まつりごと》を執《と》らしめ一方の大将として敵を攻むに、豈《あに》よくその功を立てんや、その心は塵労妄想《じんろうもうぞう》の蓄《たくわ》へなしと雖《いえど》も、そのことに熟《じゅく》せざるが故《ゆえ》に用をなさず」というくだりが出てきます。つまり、剣術を学ぶ時、禅を参考にすることと、禅で悟りを開いていたら何もかも自由自在に出来るという錯覚をしないように忠告しているんですね。

その辺りのことは、結構、混乱している人が昔も今もいるようですから、注意は必要ですが、今お話に出た釈迦《しゃか》が霊鷲山《りょうじゅせん》で説法をした折、手に持った花を捻《ひね》ってみせた時、門下の摩訶迦葉《まかかしょう》だけがその真意を理解して微笑《びしょう》したという故事「拈華微笑《ねんげみしょう》」のように、すでに相当良い線まで感覚が研がれてきている相手に、ちょっとしたヒントを出して、技が劇的に進歩したという話は、武術の世界ではしばしば聞きますから、職人の世界でもあった気がします。

職人の「恥」

土田　昭和の名人大工・野村貞夫棟梁《のむらさだおとうりょう》は、関西に修業に行った時、修業先の親方に「野村さんのとこの息子さんですか」と言われ、身元正体がバレてしまって何にも教えられなかった。それに、一切怒られなかったそうです。しかも、一人前の給料をもらったものだから、若き日の野村棟梁はいたたまれなくて、朝早く起きて、他の上手な大工のやりかけの仕事を盗み見て、何とか給料に恥ずかしくない仕事をしたそうです。大変だったけど、その頃が一番勉強になったと言われていました。

甲野　本当に、身の縮む思いをされたのでしょうが、それは自分に伸《の》び代《しろ》がまだまだあるということを感じられたということでもあるのだと思います。自分はまだまだ上達出来るという潜在的な自信がなかったら諦《あきら》めてしまうでしょうから。修業すれば、まだまだ出来るようになる自分を予感されたのでしょうね。だから、ものすごく必死になって、修業されたのだと思います。

そういえば、千代鶴是秀翁の書の稽古《けいこ》もそうですよね。是秀翁は、鉋などに刻んだ銘が見事で、書も達筆で有名でしたが、その手ほどきをしたのが、鍛治の師匠でもある八代目の石堂の当主でしたね。そのユニークな指導方法はご著書でも拝見して、大変興味を覚えました。

土田　石堂の当主、七代目の石堂運寿是一と八代目の石堂寿永ですね。当時の貴人、つまり明治政府の高官とか旧大名とかでしょうか。そうした人たち宛《あて》の手紙を、まず運寿是一なり寿永自身が書いて、それを書のお手本とし、「写しなさい」と是秀に言って書き写させた。それを是秀が書いて寿永に見せると、寿永は自身の書いたものを破り捨て、目の前で是秀が書いた方を封筒に入れて送ってしまう。

是秀曰《いわ》く、「いや、恥ずかしかったですよ。手本より下手な字の方を送られてしまうんですか

ら。上手になるように稽古をせざるを得ない」。

甲野　野村棟梁と千代鶴翁の例のように、弟子を怒らずに、「やらざるを得ない」と思うように導いていくというのは、非常に優れた教育法ですね。

まあ、なかなか誰もが真似《まね》の出来ることではありませんが。そして、こういう育て方はもちろん、弟子自身に、並々ならぬ向上心があって、「恥」を感じるセンスがなければ成り立たないことでしょうしね。

ここで伺いますが、職人にとっての恥とは、端的に言って何でしょうか？

土田　職人は芸術家と違って、仕事をいただき、その予算や工期に見合った仕事をしなければならないわけですので、恥の意識も道徳も、その取引のうちに生起したものであると思います。たとえば、どんなに理想的で上等な仕事をしたとしても、予算オーバーで工期に間に合わないなんて状況は、まさに職人の恥です。逆に、予算に見合わない下手な仕事をしてしまうことも、当然恥です。つまり、かつての職人は注文していただいたお客様に対して、損をさせてはいけないという道徳がありました。それは注文主がお殿様であろうと、町人・農民であろうと同じです。その道徳の元で仕事をし、また仕事の中で後進も育ててゆくのですから、その恥の意識も受け継がれていくのです。

ただし、その恥の意識や道徳が保たれていくには、注文主、すなわち施主の意識や仕事に対する理解度も関係してきます。

ある裕福な商家の主人で、いわゆる建築道楽の方がいたそうです。建築道楽とは、自宅や自らが商うための店舗《てんぽ》を建てるために、並々ならぬ関心と執念をかたむける施主のことを指しますが、多くの場合、その主人の生活は堅実で倹約を重んじ、品行方正であったそうです。つまり、商売の成功による大きな身入りを快楽に使うのではなく、住という要素につぎこみます。

単なる成金趣味とは対極にある姿勢であり、そのお金をかけた建築も、奇抜や銘木使用を誇るようなものではなく、実に落ち着いた、ちょっと見、何の特徴もないようなものを要求します。

そんな施主が自宅新築に伴い、上手な建具屋《たてぐ》を探していたのだそうです。そして、世間に名人建具師として名高い職人に白羽の矢を立てます。まず注文したのが、便所の小さな窓の格子戸《こうしど》です。

甲野　ああ、そのお話はあれですね。『千代鶴是秀写真集①』の中で紹介されていたお話ですよね。

土田　先生はご存じでしたね。

甲野　いや、どうぞ続けてください。私もこのエピソードに関しては伺いたいことがありますから。

土田　はい、では続けます。この建築道楽の方が始めに注文した、便所の小さな窓の格子戸は、名人建具師にとってはものも小さいですし、簡単な仕事です。

名人建具師は仕上げて取りつけに行くと、施主はきちんと十分以上の手間賃をくれます。そして「もう一つ同じものを」と注文します。名人建具師は、首をかしげつつも施主の要求なのですから従います。二つ目を作ると、また施主は同じ要求を出します。この繰り返しが五度続いたそうです。

毎回上々の手間賃をいただけるのですから、悪い仕事ではありませんが、さすがに五度も同じものを作らされ、やっと「いいでしょう」と合格をいただくことになったのですから、名人建具師もこのやり取りの意味を訊《たず》ねます。「旦那《だんな》、何で同じものを五つもお作らせになったんでしょう。前の四つはそんなにいけない仕事だったたんでしょうか」。

すると、建築道楽の施主は「親方、あんたがその意味は一番分かっているはずだ。作らせた五つとも、さすが名人と言われるだけのことはある。よく出来ている。だが前の四本には、ほんのうっすらとだが罫引《けび》き（＝加工目安として表面繊維を切断するごく浅い直線の加工痕《かこうこん》）の跡《あと》が残っている部分がある。五本めでやっとすべてなくなった。気付いただけ立派といったところだが、便所の小さな建具が上手く仕上げられれば、本当はこの屋敷の建具すべてを親方に任せようと思っていたのだが、いくら建築道楽と言われ、建物には金を惜しまない私でも、屋敷の建具をすべて五本ずつ作らせる余裕はない。親方には悪いが、今回は道具を下げていただこうと思う。いや、ご苦労さまでした」と答えたそうです（今では建具は一枚二枚と数えるように思っている人が多いと思いますが、本来一本二本という単位が「本当」なのです）。

恐《こわ》いですね。厳しいですね。こういう建築道楽の施主は、職人道徳や恥の意識を存分に活用して仕事をさせるんです。そして大工や建具屋以上に仕事を知っていてこそ出来ることであり、またこの厳しさがあって職人道徳も保たれていくのだと思います。

おそらくこの便所の建具を五本作らされた名人建具師は、この施主をうらみなどしなかったと思います。名人などとチヤホヤされ、でも屋敷の建具すべてを作る仕事を小さな便所の格子戸を作ることで取り逃がしてしまった自らの甘さを噛みしめつつ、施主に感謝したはずです。文字通り「恐れ入りました」と頭を下げてです。

甲野　この名人建具師は罫引きの跡を残してしまいましたが、当時、最初から罫引きの跡を残さないような仕事をする建具職人はいたと思われますか。たとえば『千代鶴是秀』の中に登場している「まな板の寅《とら》」と呼ばれた名人建具職人はどうだったでしょうか。

土田　本当に上手な建具屋であれば、それが便所の小窓の建具だろうが、罫引きの跡なんて残さないものです。

まな板の寅や、神田《かんだ》の野村や、銀座《ぎんざ》の鵜沢《うざわ》、駒沢《こまざわ》の本田真松《ほんだしんまつ》なんて名人たちは、そんな不手際を指摘されたら腹を切るしかないかもしれませんね。でも彼らのことを誰も知らないでしょう。

過去の工人だから知られていないって面もありますが、彼らが名人として働いていた時代だって、本当に上手な職人なんて「知る人ぞ知る」で、現在のようにカリスマ○○なんかではなかったんです。そして漏れ伝えられる評判、つまり「あいつは名人建具師だ」というものも噂《うわさ》に毛が生《は》えた程度ではなかったんじゃないですかね。であるからこそ、建築道楽の旦那はその目で確かめねばならなかった。

　十年近く前でしたか、三越に日本伝統工芸展というのを見に行きました。毎年見せてもらいに行っているんですがね、その中に重要無形文化財技術保持者、いわゆる人間国宝が作った小さな足付の台が出ていました。座卓を小さくしたような形なんですがね。工作の墨跡が残っているんです。墨って言ったって、ありゃ鉛筆の跡かな。見定めにくい罫引きの跡なんてものではなく、鮮明にあちこちに、しかも仕口《しくち》[12]やホゾの胴付[13]もスいていたり、接着剤がはみでていたりで、とても見苦しいものでした。

　刳物《くりもの》で有名な作家ですから、たまに手がけた指物《さしもの》が上手くいかなかったのかもしれない。ですが、見ているこっちが恥ずかしくなったし、店に来る家具屋のあんちゃんが作った方がずっと上手にまとめる。でも、人間国宝なんです。世の中ってそんなものです。

12 仕口―木と木を接合するための細工。

13 ホゾの胴付―ホゾ加工したものをホゾ穴に接着した場合、ホゾ穴のある部材の胴部に密着する面。

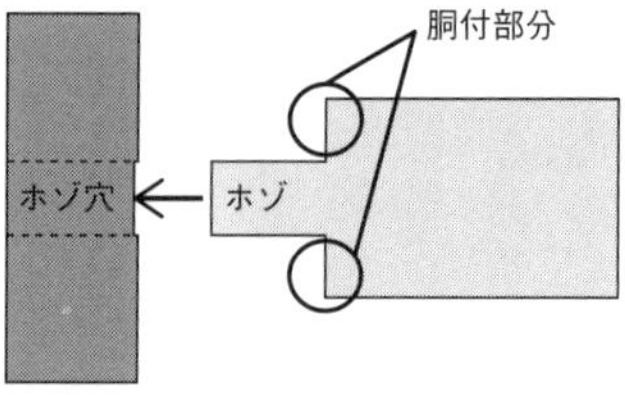

甲野　そうですね。私が今使っている刀を研いでもらったSさんは、もうずいぶん、前に亡くなった方ですが、千葉の、それこそ刀剣界ではあまり知られていない研ぎ師でした。そのSさんが、都内の有名な刀剣店から、「Sさん、これ、H先生の研ぎなんだけど、このままじゃ客に渡せないから、悪いけど手を入れといてくれる?」と、その刀を預かって帰り、「H先生もしようがないな」と言いながら、研ぎムラのある刀を研ぎ直したと、私に漏らしていました。

そのH先生とは研ぎ師の人間国宝として刀剣界では、よく知られている人だったのです。

それから、これは何年か前のことですが、七十年か八十年ぶりくらいに髙島屋で民芸展が行われるというので行ってみたのですが、出品されていた鉄の燭台《しょくだい》は板金を溶接して作ったようなもので、正直、私が作ったものの方が遥かにマシだと思いました。

私は以前、木彫りの人と作品展をやったことがあって、私のオリジナルデザインの鉄の燭台を結構作って売ったこともあったのです。とにかくあの民芸展に出た作品群の劣化ぶりには背筋が寒くなりました。

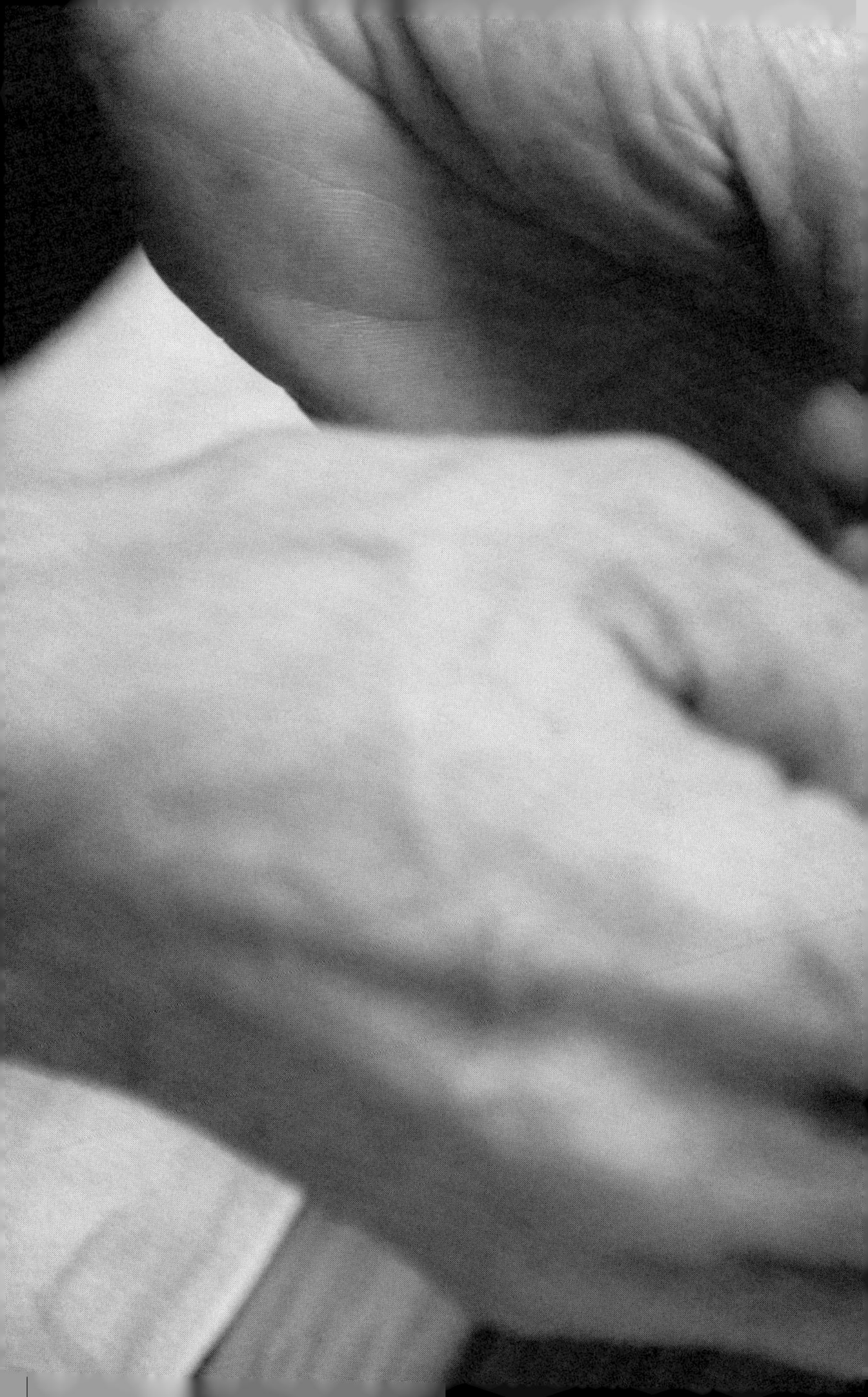

職人の思い入れと伝統

甲野　千代鶴是秀が入門した石堂家の八代目・石堂寿永の子息、石堂秀一は、九代目石堂として、千代鶴翁と共に寿永門下の双璧《そうへき》をなした職人ですよね。

千代鶴翁と石堂秀一は従兄弟《いとこ》同士で、共に当時の最高レベルの鍛冶職人として、多くの大工や建具職人などにとっての「憧れの道具」を作ったと伺いました。

この二人の他に、当時は長谷川廣貞《はせがわひろさだ》という名人鍛冶もいたそうですが、長谷川廣貞は、この千代鶴や石堂といった鍛冶職人とは、どこが一番違っていたのでしょう？

特に千代鶴翁のように、銘の切り方や、槌目《つちめ》に凝《こ》るということをしなかった石堂秀一と長谷川廣貞作はどこに差があったのですか。

土田　長谷川廣貞は、新潟《にいがた》出身で東京に出て来て、大正・昭和戦前に活躍した道具鍛冶ですね。実用道具作りに専念した技術者と言えます。石堂秀一も千代鶴是秀に比べれば加飾の極めて少ない実用道具を作ったのですから、廣貞と秀一は似ていると言えば似ています。

そして、廣貞は確かに鍛冶技術もめっぽう優れた人でした。千代鶴是秀が、自分の作るものよりずっと安い価格で、しかも劣らない品質の製品を作っている技術者の存在に驚き、廣貞に会いに行かねばと考えたくらいなのですから。

ただ、違いと言えば、廣貞はいわゆる玉鋼信仰というものを持っていたんです。秀一や是秀は、その師である石堂寿永より遺言として、「私は日本の伝統的な素材に誇りを持っていたから、玉鋼で道具を作って来たが、あなたたちは、より優れた洋鋼《ようこう》を使って、さらに良い大工道具を作るように」と言い渡されていたものですから、明治二十年代、すでに刀剣製作時は別にして、玉鋼を使わなくなります。

この英断こそが、秀一、是秀の二大名工時代を堅固なものとしたはずなのですが、廣貞は大正・昭和期に入っても、玉鋼信仰を捨てなかった。

気持ちは分かります。日本人なのですから。日本の伝統素材に重きを置く鍛冶屋は、その頃も廣貞ばかりではなかったはずです。現在でさえ、玉鋼神話、玉鋼信仰は残存しているのですから。

それで廣貞は、鉋を作る時は輸入鋼の洋鋼を使用し、ノミを作る際だけ、秘蔵の玉鋼を使用したといいます。

甲野　なるほど。長谷川廣貞は、本来なら鉋にも玉鋼を使いたかったのでしょうが、鉋に洋鋼を使うようになったのは、溶鉱炉《ようこうろ》で溶かした状態で出来る洋鋼は玉鋼より均一な質のものが出来るという理由が大きかったからではないでしょうか。

和鋼、つまり玉鋼と近代になって呼ばれるようになった、日本の伝統的タタラ製鉄による鋼は、溶鉱炉で作られた鋼に比べ、不純物を多く含み、質がずっと不均一ですから、出来るだけ均一な鋼にする労力だけでも大変ですし、それだけ手間をかけても溶鉱炉で出来た鋼ほどの均一さは得られませんからね。

そうなると、一般的には、二寸から三寸くらい（六センチから九センチくらい）をすべてムラなくツヤのある切削跡を求められる鉋には、均一な鋼で作った洋鋼の鉋刃の方が、絶対向いているでしょうから、長谷川廣貞といえども鉋で削る質を追求するとなると、洋鋼を使わざるを得なかったと思うのですが、どうでしょうか。

土田　鋭い!!　千代鶴是秀が、戦後に三代目を引き受けてくれるようにと頼んだ通い弟子の落合《おちあい》宇一《ういち》は、元々ノミも鉋も作る宗次《むねつぐ》という鍛冶の弟子で、宗次の師は三島《みしま》の宗近《むねちか》で、宗近は國弘《くにひろ》の高弟で、宗近は三島に帰る前、是秀や石堂秀一が石堂寿永の元で修業していた頃、職人として石堂家で働き、是秀や秀一を指導した時期もあったわけですから、連綿たる技術関連があるのですが、その落合は是秀の元に通い始めた大正時代、すでに鉋に特化した研究製作に埋没《まいぼつ》していました。

ノミも頼まれればたまには作りましたが、父が「なぜ落合さんは鉋製作に専念したのか」と問うと、「鉋の方が切味《きれあじ》をうるさく言われるから」との答えであったそうです。ですから、先生がお考えになる廣貞のノミと鉋の作り分け姿勢の理由も、そんな面を含んでいた可能性がゼロではないのかもしれない。でも私は違うと思います。先生の意見は鋭いけれど、違うと思います。

なぜなら、上手な大工ほど、ノミの切味にうるさかったんです。叩《たた》いて切らせていくノミは、確かにある程度の刃が付けば作用します。使えてしまう。薄い鉋屑《かんなくず》を出すための研ぎ精度に至らぬ次元で使えてしまう。いや、使えてしまうように錯覚出来る。

ノミの切味の理想でよく言われたことは、堅木《かたぎ》に叩いてホゾ穴を掘った後、そのまま杉の木口《こぐち》を突いて、ちゃんとツヤのある仕上がりに切削出来るもの、というのがあります。これは木材加工に携わる人であれば、ピンとくる理想なんです。「それは不可能でしょ」って意味で。もちろん上等な、たとえば廣貞が作った鉋の内容と同等のノミで、堅木を叩いて、その後、杉の木口を削っても、上手く仕上がらないと思う。鉋で単に薄い屑を出すより、ずっとずっと困難です。困難な域のものを理想とする以上、本来はノミの切味内容には厳しいものが要求されたってことでしょう。少なくとも卓越者の間では。

是秀が一番信頼していた江戸熊《えどくま》という名人大工が、是秀に対して鉋など一枚も注文せず、ノミだけを注文したのも、そんなところに理由があります。切れる鉋は世間にたくさんあるけれど、気に入ったノミを作れる鍛冶屋がなかなかいない。それはノミを作る方が実は難しく、切味も難しいものを要求されてしかるべきものだからです。

野村貞夫は観世能舞台の仕事で、大突《おおつき》ノミを使い、その仕口を指紋がすけて見えるようなノミ屑を出して仕上げていたとのことです。切味優先で考えるなら、廣貞は鉋を玉鋼で、ノミを洋鋼で作るべきであったかもしれません。

甲野　褒《ほ》められて落とされましたけど（笑）、「う〜ん、そうなのか」と感じ入りました。今回の対談は私からお願いして行っているわけですが、まさに、その素人で職人仕事に関心のある者が、素人なりに考えた意見を言って、少し褒められ、結果、つい常識的に考えていたことを否定されるというのは、ある面、「こういう問答に触れたかった」という感じがして、とても気持ちが高揚します。

ああ、それで一つ納得がいったことがあります。私の武術の稽古にとても熱心に取り組んでいるI氏は、この武術に関連したことが仕事になってきているのですが、I氏の祖父に当たる人物は、相当腕の良い大工職人だったようで、ある時、I氏の父君がまだ子どもの頃、手に棘《とげ》を刺した時、「動くなよ」と忠告してから、ノミでその棘を薄皮一枚と共に少しも血を出すことなく、サッと削り落としたそうです。

「カミソリではなく、厚刃の刃物であるノミで、そのようなことが可能なのか！」と、この話を聞いた時は大変驚きましたが、今伺ったお話で、「ああ、そうなのか」と得心がいきました。

しかし、ひと昔前は日本中に相当腕の良い職人が少なからず活躍していたということなのでしょうね。

土田　大丸福蔵《だいまるふくぞう》という、大正から昭和戦後まで活躍した大工がいましてね。この方、ノミ、鉋、切出、玄能まで、すべて石堂秀一に作らせる、いわゆる石堂びいきの職人であったわけですが、墨壺《すみつぼ》、墨差《すみさし》、下端定規《したばじょうぎ》なんて大工道具を作らせると天下一品でね。

墨差って、竹を割りヘラ状にして、その先を細く割って墨含みをよくした、いわゆる大工の筆記用具なんですが、墨差のその細かい割り込みを、大丸は四分幅の墨差と二分半幅の墨差を正確に四十八枚割にしていました。野村貞夫ですら「半々に割ってゆく方法で、三十二枚割が限界かな」と言っていたものです。

つまり、十二ミリ（あるいは七・五ミリ）幅の竹の先を等分に四十八枚に割るんです。細かく正確に割れれば墨含みが良く、きれいな墨付（加工目安線を木材上に書くこと）が出来ます。四分幅＝十二ミリとして四十八枚割だと、〇・二五ミリずつに割り込みを入れてゆくことになります。おそらく誰もフリーハンドで竹をそこまで細かく割れないでしょう。大丸は頭の良い人ですので、その割り込み治具《じぐ》を作って墨差の先を割っていったんです。

そして割り込みを入れる刃物は叩きノミです。叩きノミは建築構造材の組手《くみて》仕口を加工する大きなノミです。カミソリはおろか造作用（小細工《こざいく》用）の大入《おおいれ》ノミに比べても、ずっと厚くて重いノミです。細かく薄く切り割ってゆくのに、なぜ薄く鋭角な刃物を使わなかったのでしょう。

切削抵抗は薄く鋭角な方が小さく、軽く突けるはずです。それなのに刃が鋭角な刃物を使わなかったのは、そのノミの厚みや重さを重視したのです。

刃さえきちんとしていれば、その大きさは突く時の安定感につながります。薄くてペラペラしたものの方が、切削時のゆらぎが生じるはずです。大工の中にはノミに良い刃が付いたかどうかを試すために、自分の髪の毛を一本抜いて、それをタテに真っ二つに割いてみるなんて職人もいるわけですから。

もちろん鉋刃でも優れたものを作るのは大変です。しかし、形状の複雑さから言っても、良質なノミを作ることの方が良質な鉋刃を作るよりも、高度な技術を必要とします。

鉋を作るよりノミを作る方がずっと難しいわけですから、難しい対象に扱いの難しい特別な素材を使うというのは、いかにも職人らしい発想です。

そして、それら玉鋼製の廣貞作のノミは確かに上質です。玉鋼しか素材のなかった時代の名工に優るとも劣らない品質です。

ですから、大正時代、大入ノミ十本組の価格は、世間の良品とされるものが三円五十銭、名工左《ひだり》久弘《ひさひろ》のものが、その倍の七円、石堂輝秀のものが二十円、長谷川廣貞のものが五十円、石堂秀一のものが七十五円、千代鶴是秀が百円であったという話が残っています。もちろん玉鋼で作ったのは、この中で廣貞だけです。それだけ手をかけて作り、また評価も高かったのです。

でも、廣貞の名工としての地位を強固にしたものは、ノミではなく鉋です。鉋の鋼は輸入鋼、つまり洋鋼ですから、逆説的でしょう?

しかも、刀工家出身の石堂秀一と輝秀、そして千代鶴是秀は刀剣も少しは手がけていたので、廣貞などより伝統素材の扱いに慣れていて、経験値も高いはずなのに、道具に玉鋼は使わず、むしろ純然たる実用道具鍛冶で、刀工名家出身ではない廣貞の方が玉鋼信仰を持ち続けている状況も、やはり逆説的です。いや、皮肉な状況と言えたのかもしれません。

ですから、秀一と廣貞が、どちらも実用道具、デコレーションを排したものを作る姿勢では一致していますが、伝統や技術という文化に対する考え方にズレはあったように思います。

　父は廣貞の仕事場に何度もお邪魔していますが、その金床《かなどこ》は大きくて、面《つら》がとてもきれいに整備されていて驚いたそうです。「あれほど立派な金床は、是秀のもの以外、見たことがない」と言っていました。

　また戦後も、廣貞は仕事から手を引いてはいたものの健在で、父が訪ねると「誰か若い人で見込みのありそうなのがいれば、よこしてください。いくらでも（鍛冶技術を）お教えいたします」と語っていたとのことです。

重い金床を片手でヒョイッ（玄能鍛冶・長谷川幸三郎）

甲野　今は、もうハウスメーカーなどの企業が住宅を建てている時代ですから、町で大工や左官といった職人さんたちがちゃんと家を作っている現場を見ませんよね。
土田　そうですよね。見ないっていうのもありますし、ハウスメーカーが作るものって、コンクリートの基礎がある程度出来ちゃうと、それこそ一カ月か二カ月のうちにパタパタパタっと組み立てちゃうから、「作っている」という感じがしないかもしれませんね。

甲野　確かに組み立てているという感じですよね。

土田　素材自体は工場ですべて加工してきて、現場では組み上げるだけというプラモデルみたいなもんだろうけれども（笑）。

甲野　ですから、素人みたいな人間でも戦力になる。ただ一番の問題は、板や柱の多くが接着剤で貼《は》ってある合板ということでしょう。接着剤は身体によくないということもありますが、何よりも、耐久性自体がムクの木に比べれば、遥かに弱いですよね。

私の道場も、四十年近く前から懇意にしている大工のTさんと一緒に作ったのですけど、床は特別丈夫にしようと思って、七寸《すん》間隔で二寸角の根太《ねだ》を入れました。それをまた普通よりも間を詰めた三寸角の大引《おおび》きが支えて、それを普通の倍ぐらいの数のツカが支えるようにしたのです。

ただ、昔の柔術道場はそうじゃなくて、目切れのない丸太で大引きを支えて、ある程度のクッション効果を持たせるというやり方だったらしいんですよ。投げられた時のショックを吸収するために。

私の道場も、出来ればそうしたかったのですが、そういう特殊な建て方はTさんも分からないので、とにかく、うんと丈夫にしてしまおうと、丈夫一点張りでやりました。そのために、畳の下の床板はコンパネの方がいいだろうということで、コンパネを敷いたのですけれども、あれはまあ、分厚いベニヤ板ですから、結局三十年もしないうちに、ただ薄い板が重なっているだけの状態になってきちゃったところが出てきました。

ただ七寸間隔まで根太が細かく入っているので、それはそれで保《も》っているんですけど、やっぱりベニヤというのは接着剤が剥がれてきてしまうのだな、と実感しています。


土田　建築も本当は、足元の要素である基礎を含む土台部と、建築構造そのものの堅固さと雨じまい[14]が一番大事なはずなんですがね。

私の今の仕事場も地主さんから借りていた土地だから、地主さんがマンションを建てると言うんで、それに伴い、改築したんですね。「ここで作業をするから、こういう風に板張りの作業場が欲しい」とお願いしたりして。コンクリートの躯体床《くたいゆか》から高さ四十センチくらいで、一応板の間状に見えるようになっていますけど、これだって積層材ですからね。積層材だって、中の構造自体がちゃんとしていれば、作業するにはどうにか保つかなと思っていたのだけれど、出来上がってここに入って来て、床下を見たら、ただの金属の細い棒がツカとして立っているだけですからね。これで大丈夫かなぁって。

ただ、マンションやそういう内装関係のものをいっぱいやってい

14　雨じまい―屋根など、雨水が伝って入らないようにするための構造。

らっしゃる方たちが気にするのは、強度よりもむしろ床鳴りなんです。今の方式でやると、床鳴りってほとんどしないんです。強度関係なしにね。お客さんたちから「キコキコ音がするのはイヤだ、これをどうにか直せ」ってクレームがあるわけです。この工法は、そのクレームに対しては床鳴りがしないからいいのだけれど、これが長年保つかというと……。

後は買う側の意識ですよね。木なんですから、多少はキコキコ鳴ったって、長持ちした方が本当はいいと思うんだけども……要するに購買者の要求に応じて、ハウスメーカーも動いているんですね。ただ、自分の仕事場の床下を覗《のぞ》いてビックリでしたけどね。こんな細い金属棒で支えて保つのかなって。

甲野　それは鉄筋ですか？

土田　はい、一番下はコンクリートですからね。そこから金属棒がたくさん床板の下面に伸びています。細さから言うと、かなりシナシナの感じですけど。そういう工法になっちゃっているから、一つのものを作って長持ちさせましょう、というよりは、その時にクレームがなく、上手く売れちゃえばいいっていう発想の元にやっているんでしょうね。

甲野　話は戻りますが、今の子たちは、とても不器用になってきていますよね。たとえば、教員免許を取ろうという大学生に切り出しで鉛筆を削らせてみると、「昔なら小学校の低学年でも、もっと上手に削る子がたくさんいただろう」と言いたくなるほど、ひどい削り方をする学生が大勢いて、これには驚いてしまいます。
　まあ、今は「刃物が危ないから」と言って、子どもたちをこうした刃物を使った工作から遠ざけているということもありますけれど、大きな原因の一つは、先ほども言いましたが、子どもの頃、家の建築現場などで大工や左官の人が働いている姿を見ることが出来ない、つまり上手に身体を使う大人を見なくなったからですね。
　今、介護でもすぐ腰を壊してしまう人がいるというのも、現在は、もう穴を掘ったり、重い荷物を運んだりする時に、手本となるような人が消えてしまったことが大きな理由だと思います。

土田　そうですね。

甲野　たとえば、我々の世代だったら、昔、氷屋がいましたよね。氷を歯の大きな鋸で切って、氷の半分ほどまで切ったら、その鋸を返して、鋸の背の部分を氷の切り口にポンと入れると、氷がパンと割れて、それをパッと「やっとこ」みたいな氷ハサミで挟んで……氷ハサミは持ち手を片方下げるだけで、自動的に締まるから……それで氷を持って配達しているという姿が記憶にも残っていますけれど。

土田　氷一つで相当の重さですからね。それを自由に動かせると言うので、今思い出したのは、長谷川幸三郎《はせがわこうざぶろう》さんという玄能鍛冶ですね。

よく通わせていただいて、いろいろな話を聞かせてくれたんですけど、玄能の製作方法は大きく二つあって、一つは地金と鋼を鍛接して作る鋼付け、もう一つは全鋼《ぜんこう》、つまり「まるもの」と言って、鋼だけで作るもの。どちらも、口（玄能の打撃面）に焼き入れする工程があるんですが、長谷川さんは「まるもの」の玄能をたくさん作っているんです。それと同じように、金床も表面焼き入れするわけですよ。

甲野　えっ!?　しかし、玄能と比べて金床は、まるで大きさが違うでしょう。何しろ、金床は、鍛冶職人がさまざまなものをハンマーで叩いて作り出す時に、その打撃を受け止める台となる、大きな鋼の塊《かたまり》ですからね。

その表面は焼き入れして硬化させた方がいいでしょうが、とても玄能と同じようにはいかないでしょう？

土田　そう思いますよね。私も「金床のような大きなものの焼き入れってどうするの？」って聞いたんです。まあ、昔は、炭素量の少ない柔らかい地金の上に鋼を貼って、焼き入れをするという方法があったんですけど、今は、ムクの鋼の塊の金床が一般的で、ムクだと普通に焼き入れしたら、硬化時の膨張で金床表面が割れだらけになっちゃうんです。

甲野　そうですよね。

土田　鋼は焼き入れして硬化させると、その組織変化によって体積が膨張するんですよね。熱を持ったものを冷やしたらふくらむ、柔らかかったものが硬くなるのに体積が増すというのは、一般的には感覚的に不自然に思われるかもしれませんけどね。

甲野　私も昔、それを知った時は、ちょっと不思議に思いましたけど、あの焼き入れによって、鋼が硬化するというのは、柔らかだった組織がマルテンサイトという結晶状態になるので、その時、硬化もするし、膨張も起こるのですね。

　刀に反りが入るのは、焼きが強く入った刃の部分が膨張するので、自然と刃の部分が全体的に延び、それで反りが出来るわけですからね。

土田　ああ、そうでしたね。そして、鋼は焼きが入って膨張することによって変形し、変形するがゆえ、その動きが刀の反りのような働きをする逃げ場がない場合、キレツが生じます。

　地金と鋼を鍛接したものは、焼き入れしても硬化しない地金部分が、その柔らかさを緩衝帯《かんしょうたい》として鋼の膨張変化力を吸収してしまいますので、キレツは出にくいものなのですが、鋼だけで出来た「まるもの」は、キレツ、つまり焼き割れを起こします。

　では、硬化させつつ焼き割れを起こさない方法はというと、焼き入れ温度にしたものを急冷し、ある温度域まで冷却したら、完全に冷えきってしまう前に冷却速度をずっと遅いものにする技術が挙げられます。つまり急冷＋除冷を行うわけで、水に浸けて冷却し、炭素鋼《たんそこう》の場合、二百五十度近辺まで冷えたら水から引き上げ、空冷すればいいわけです。

しかし、この二百五十度という温度は、目で見て分かるものではありません。つまり、水から引き上げるタイミングは勘です。

しかも焼き入れ工程が一瞬の作業ですので、一瞬の中の引き上げタイミングを捉《とら》えねばなりません。金床のような巨大なものを急冷＋除冷をほどこすには、冷却水に対し、その重いものを浸けたり、引き上げたりする自在さを獲得せねばならないわけです。

要するに、ジューッて冷やして危険区域になったら、水に浸けた大きな金床を冷やしきる前に素早く出すような機構がないとダメなんですよ。

甲野　ああ、そうでしょうね。私が鍛冶仕事を教わった野鍛冶の親方も、道路工事用の機械《きかい》鏨《たがね》の鍛《う》ち直《なお》しを頼まれた時、焼き入れは、急冷と除冷の繰り返しでした。でも、金床の焼き入れを、クレーンもしくはチェーンブロックもない時代にやるのは大変でしょう。

土田　で、幸三郎さんに聞いたら、「いや、玄能とおんなじにやるんだよ」って。「玄能と同じにやる」って言ったって、その玄能を作るために使う鉄の塊の金床で、大玄能《おおげんのう》の何十倍の重さがあるものですからね。それをどうするのかなと思ったわけですよね。

玄能自体は、焼き入れ温度まで赤めて、ハシで流水みたいなところでチャッチャって、その赤めた両口《りょうくち》を冷却するんですけど、「金床のように大きなものを小さな玄能同様に振り回せるわけがないだろ」って、私は思ったわけですよね。

そしたら、幸三郎さんは仕事場の裏に行って、自分で作ったハシを持ってくるわけですよ。それで片手でパッと挟んで、ヒョイと上に上げてみせてくれたからね（笑）。「これだと出来るでしょ」って。

工夫次第だし、身体の使い方もあるだろうけど、まあ、凄かったですよね。身体の使い方を合理的にしようとしていくと、道具自体もそれにちゃんと沿うように合理的なものが出来ていくわけですよね。

甲野　しかし、金床をハシ……つまり、その金床を挟むために作られた手製の「やっとこ」のようなものでしょうけれど、それで挟んで持ち上げるというのは、にわかには信じられないほど凄いことですね。

土田　最初は私も嘘《うそ》だと思ったもん。確かにハシも特殊なんですけどね。氷を挟む形状の口の開き方と同じなの。

ただ、挟み口の一方に二本分かれた口先が出ていて、もう一方は一本でガバッと挟むんですけどね。摑《つか》んだまま片手でヒョイと上げたの。「おお～！　そうか、出来るんだ」と思いましたけどね。

甲野　その特殊なハシ[15]、片方が二本、もう一方が一本というのは、鍬《くわ》などを作ったり、直したりする時に使うものと同じですね。

広口《ひろくち》のハシもありますけれど、特に幅広くすると、重量も重くなってしまうし、また面で接すると、ガタツキが出てくるということもあるのでしょうね。広い幅のあるものを挟む時に、片方二本、片方一本で挟むというのは、三脚と同じで、三点で支えるということになってガタツキをなくす上でも有効なのでしょうね。でも、それを使って金床を赤めて、その、表面だけを、パッと焼き入れするとは驚きですね！

土田　口（金床の上面）になる方を火床で赤めて、パッと握って、ジュッって入れる。本当は赤めて冷やしきっても割れないんだったら、そのまま水に沈めていいんだけれども。途中で冷えきる前に水から取り出す、インターラップド・クエンチング[16]です。

甲野　昔の地金の上に鋼を貼って、鍛冶屋の金床としていた頃の焼

15　特殊なハシ—両方二股に分かれた口のものも見たことがある。

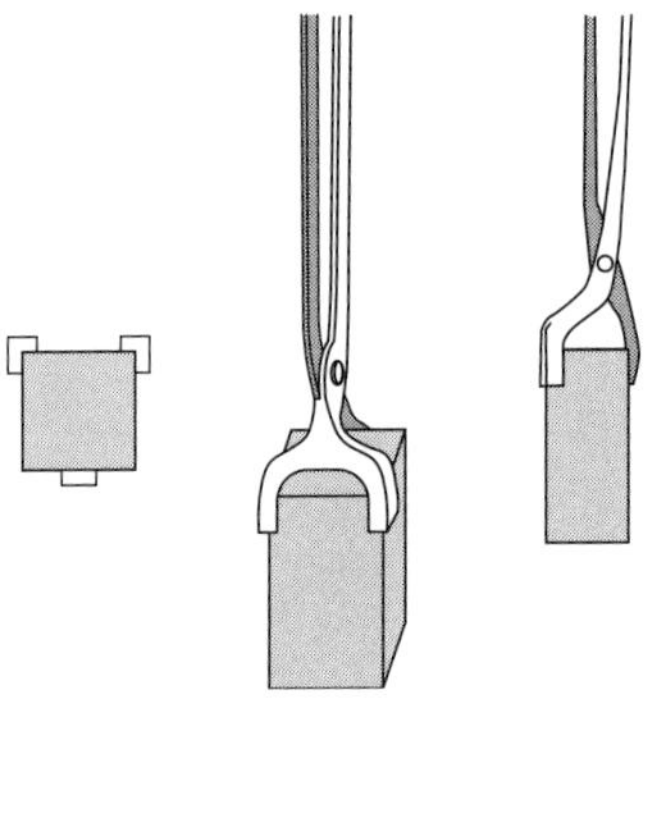

16　インターラップド・クエンチング—引き抜き焼き入れ。

き入れは、河原でやったとか。

土田　そう、河原でやったんですよ。近くの鍛冶屋さんがみな集まって、盛大な焚《た》き火《び》をして、熾《おき》かなんかでやって。まあ、出来上がると飲み会になっちゃうよね。女の人が入ると、金床の上面が割れるという話を聞いたこともある。

でも、まあ、あの幸三郎さんがハシで金床をヒョイと持ち上げたのは凄かったな。踏ん張ってなんかいないんですよ。片手でヒョイと上げて、しかも振り回せる。

甲野　本当に凄い技術ですよね。金床は軽くても、二十キロか三十キロはあるでしょう。

土田　三十キロ、四十キロはあるでしょうね。土に埋めて固定させて使うものですから。それなりに重さがないと安定しませんからね。でも、大きいものでしたよ、本当に。それにハシ自体もね。

甲野　ハシ自体だって何キロかありますよね。

土田　そうです。

甲野　その映像は残っていないのですかね？　私は仕事がら玄能より、その金床をハシでどうやって持っていたのか、その方に関心がありますよ。

土田　私も、そういう経験は、「ほら出来るよ」って、見せてもらったから分かったわけだけど、見せてもらわなかったら、ちょっと信じられなかったかもしれませんね。

甲野　しかし、あらためて考えてみると、昔は機械力がないので、そういう、今なら機械でやることも全部、人力でやったんですね。たとえば、昔の老練な庭師かなんかが、若い職人が何人かかっても動かなかったような何百キロもあるような庭石を、丸太二本を使って、ククククっと動かしちゃった、なんて話がありますからね。

土田　私自身は、そういう職人らしい職人が残っていた時代にギリギリ間に合ったから見られたけれども、今の人たちは「持ち上げるのであればチェーンブロックでもいいじゃん」ってなりますよね。確かにそれでいいと言えば、それでいいんだけれども（笑）。

甲野　いや、でも昔は職人の技術といっても、そういう本来やるべき仕事のために必要な周辺の技術を含めて、その仕事が成り立つような身体の技術があって、それに伴う発想もあったんですよね。だからこそ、その鍛冶なり大工なりの技術も一層上達した気がします。

そういうことは、工作が専門の職人ではない、現代風に言えば、アーティストである日本画家なども、昔は、画家自身が絵を保つように、膠《にかわ》と絵の具の配分とかも考えていたんですよね。日本画は、収納で巻いたり、掛け軸としてかけたりして、何度も曲げ伸ばしされますから、絵の具が剝がれないように考えていたようですね。

土田　そうですよね。柴田是真《しばたぜしん》なんて漆芸家《しつげいか》だけれど、お軸も描いているんだよね。その中に漆絵《うるしえ》もあるんですよ。漆絵なんて、結構樹脂《じゅし》系で固まると硬くなっちゃうわけだから、本当はそれを平面に広げたり、巻いたり伸ばしたりしていたら、ヒビが入っちゃったりというのはあるんだろうけど、それに向くように配合もするだろうし、工夫してやっていたんでしょうね。

甲野　膠は湿気には弱いから。昔、材料の木と竹とを膠で接着する日本の弓は、戦場みたいな荒い場に持って行く時は漆を塗っていかないと、水気が入ってダメになるわけですが、その弓自体の接着は耐水性のある漆はダメで、あくまでも膠なんですよね。

以前、弓造りで最も難しいところは膠の火加減、という話を本で読んだことがあります。弓は何十年経っても、その接着剤はパリッとしないで、ある種のゴムみたいな状態がいいんですよね。古い楽器の修理をしている人を私は知っていますけど、いろいろな楽器に合わせて、さまざまな動物の膠を使い分けるということでした。

土田　うちも楽器屋さんが来るんですが、クラシックギターは表板を貼る時に、結構膠でやっていますね。壊れた際、分解修理に有利というのもあるでしょうし、時間の問題もあるでしょう。膠をちょうどいい温度でやるというのも難しいし、パッと付けたら、それなりに時間が短いうちに固定しないといけない難しさがあるみたいですね。

甲野　手仕事が消えていくというのは、これから後の時代の人たちに身体の動きが伝承されていかないということですから、非常に残念だし、惜しい気がします。

玄能鍛冶の長谷川幸三郎さんのエピソードを聞いても思いますけれど、身体の使い方というのは、上手な人がいれば、子どもは自然とそれを見て学ぶと思うのです。やはり先ほども言いましたが、子どもというのは、アメリカに生まれれば英語、日本に生まれれば日本語が自然と話せるようになるわけで、意識が芽生える前というのは、ものすごい学習能力を持っているじゃないですか。

だから、その時出来なくても、どこかで見覚えていて、真似するような形ででも後々出来るようになる。本当にその子の手が器用になるためには、全身で感覚を受け継ぐみたいなことをやっている幼い時に、優れた技術を見ることが必要だと思います。

やはり、今、手仕事に関しては、有史以来の存続の危機に陥っているわけですが、これは基本的な人間としての身体の上手な使い方が断絶しかけているということですよね。

文科省は、その辺りのことを全然気付いていませんけれど。身体を使って物作りをするというのは、いろんな段取りだとか、物事の処理とか、そういう能力を自然に養うことでもあると思うんですよね。
　私も招かれてあちこちに講師で行きますけれども、そういう講演や講座の世話を専門にしているところでも、本当に準備を段取りよくこなすスタッフはとても少なくなってきていて、「あれも忘れていた」「これも忘れていた」という、素人とあまり変わらない人が多く、かゆい所に手が届くような世話が出来る人ってほとんどいなくなりました。

土田　自分で孫の手を作るしかありませんね。冗談はさておき、姿勢と段取りは関係ありますよね。

職人と素人の違い

土田　先ほど話に出た長谷川幸三郎さんの玄能を作っている姿は、本当にきれいでした。玄能を作っている最中に、「これをどうしよう」と考えるとか、火床で加熱している玄能を覗き込んで赤みを見るとか、まったくないんです、あの人。やっている時、直立不動で全然背骨なんて曲がらない。

甲野　いやあ、それは凄いですね。多少なりとも鍛冶仕事を経験したものとしては、鍛造の作業中に、手元でやっていることを覗き込むようにしないというのは、にわかには信じられないほど凄いことですよね。

私はもちろんですが、今まであちこちでそうした作業をしている人を見てきましたけど、ちょっと想像出来ません。その話には唸《うな》ってしまいます。

土田　ヒツ穴[17]という柄が入る穴がありますよね。ヒツ穴は両側から空けていくわけですけれど、幸三郎さんは、それだって見当なんてつけませんから。少し慣れれば、赤めた鉄に矢（タガネ）を立てて、大体真ん中にいくかもしれないけれど、それは「大体」ですよね。幸三郎さんは、本当にドンピシャ真ん中で、それがまったくの勘なんですよ。

甲野　それは測量もせずに両方からトンネルを掘っていって、ピタリと合うというようなことですよね。本当に凄い！

土田　そうです。その一番矢[18]っていうのは、鏨《たがね》がとんがっていますから、それがちょっとでもズレると、その後の工程に影響しちゃうんです。幸三郎さんは、それを見事に抜きますからね。

甲野　先ほどから「凄い凄い」とばかり言っていますが、長谷川幸三郎さんの場合、それほど身体に正確な規矩《かね》つまり基準の物差しが出来ているので、ヒツ穴もピタリと開けられるんでしょうね。

土田　私もやってみたのですが、鏨の刃の幅が両側から打ち込んでいって上にズレたり、横にズレたりすると、あの人は「クソ」と言っていたけど、そのクソが出て来ない。ぴったり合わさって、トントンすると、鏨の刃幅と同じピースがポンと出てくる。で、「本当か？」と思いながらやってみたんですよ。地金を鍛えたもので、鋼を付けて、両側から空けていって、幸三郎さんみたいに勘でやるんじゃなくて見当をつけて、コンコンコンコンってすると、本当に矢の幅と同じピースが出てくるの。

甲野　へえー！　その時、鏨の下の台は、そのピースが出るような穴の開いた金敷のようなものでも置いておくのですか。

土田　いえいえ、平らな金床の上でやるのですよ。両側から矢を叩き込んでゆくんですから、矢の先にズレがなければクソたるものは

17　ヒツ穴―玄能の柄がすげ込まれる穴をヒツと言う。

18　一番矢―玄能を造る際に、ヒツ穴を開けるために一番初めに使うタガネを一番矢と言う。赤めた鉄にタガネを叩き込んで貫通状態にするが、貫通させると、玄能自体の外形が変形し、その変形を槌で叩いて修正していくと、今度はヒツ穴の矩形精度がくずれ変形する。そのヒツ穴に一番矢より微妙にサイズの大きな二番矢を叩き込む。すると、また外形が崩れるので、槌で直し、またヒツ穴が変形する……このようにして、外形整形とヒツ穴整形を交互に行っていき、外形もヒツ穴内も精度を得たところで火造りは終了する。矢は一番矢、二番矢、三番矢、仕上矢という四段階が、玄能鍛冶名工長谷川幸三郎の方式であった。

ヒツ穴の中間に形成されてゆき、貫通するとポロリと平らな金床の上にこぼれ出るんです。

甲野　ああ、そうなんですね。でも本当に両方から打ち込む矢の精度が高いんですね。

土田　幸三郎さんって、面白いですよ。大玄能《おおげんのう》という、大きな玄能を作りまして、日本鉄を折り返して、ちょっと模様が出るような玄能を作ったんですよね。大玄能の大きさに見合った大きさの矢でポンポンと抜いていくわけです。そのクソがポンッて抜け出るんですよ。

そのクソだって折り返し鍛造したから杢《モク》[19]が出ている小さな地金チップなわけです。その小指先ほどの大きさしかないクソを利用して、極小の杢鍛えの玄能作っていましたからね（笑）。重さにして、五匁《もんめ》（18・75グラム）もないでしょう。それに鋼も鍛接してあれば、ヒツ穴も空いているんです。

甲野　日本鉄を折り返して鍛接すれば、日本刀の鍛え肌のような柾《まさ》

19　杢―杢目。鉄を折り返し鍛造することによって鉄組織は積層構造となり、その層構造の表面は、木の杢目のように文様が現れる。

目《め》や板目が出るでしょうから、好きな人には堪《たま》りませんね。しかし、その大玄能のヒツ穴を空けたもので、小さな玄能を作るって、そのヒツ穴もきっと正確に抜かれていたんでしょうね。

土田　もちろんですよ。「上手いなぁ〜」って思いましたよ。その極小のヒツ穴を空ける矢も作ったんでしょうね。

甲野　この頃は、いろんな分野でも、ある程度器用であれば、素人が好きに任せて時間をかけ、丹念に作った方が、プロの職人よりもいいものを作ってしまいますね。

何しろ、コストを考えずに手間ひまかけるのですから。でも、鍛冶仕事のような、一発勝負みたいな技術は凄い凝《こ》り性《しょう》で相当器用であっても素人には無理ですよね。

土田　そうなんです！

甲野　そういう一発勝負もあるし、まあ、一発勝負ではないにしても、鍛冶屋仕事って、赤めて少しずつやっていたら、どんどん脱炭[20]

20　脱炭―鋼を火の中に入れるたびに、その中の炭素が燃えてなくなっていくため、何度も熱すると、そのたびに鋼の中の炭素量は減り続け、やがて焼き入れ効果もなくなってしまう。昔は焼きの入らない低炭素量の地鉄は何度も熱して鍛つことを繰り返して造った。

して、鈍《なま》っちゃいますから難しいですよね。

土田　火造《ひづく》り代《しろ》っていうのがあって、何回赤めていい、温度が何度だったらこのくらい叩いていい、という中で、パパパパッて手際良く処理出来ないといけない。それが出来なければ、本当はプロじゃない。

甲野　前から伺ってみたいと思っていたのですが、私が鍛冶の技を学んだ野鍛冶の親方の所もそうでしたが、多くの鍛冶屋は金床の下にケヤキの根の辺りの木目が入り組んで丈夫になっている部分を埋めて、金床で鍛造する際、槌《つち》の打撃がよく利くようにしていたようですが、千代鶴翁は栗原波月《くりばらはげつ》という人の忠告を聞いて、金床の下には何も入れないようにしたそうですね。

確かに、あまりに打撃が強過ぎると鉄の組織に悪影響を与えるのかもしれませんが、大きなものを扱う時は、やはり打撃が強く利く方がよいのではないかと、思うのですが。

土田　でも、それでやっていたみたいですよ。金床の下は何も埋《い》けなかった（埋設しなかった）そうです。私も金床の下に何も入れていないけど、十分どうにかなりますね。

金床の固定感よりも、金床と槌の打撃に挟まれて、火造り上げられてゆく製品の変形度合や速度を目にしつつ、打撃の強弱を作業者はなせばいいのですから、まったく問題ありませんね。

甲野　私は鍛つ時の槌を軽くするとか、あまり強く鍛たないとか、槌の威力で調節出来るようにも思うのですが、そうやって調節するよりは、金床が多少、力を吸収するくらいにした方がいいんでしょうかね。でも、やっぱり赤めて何度も鍛っているわけにはいきませんよね？　先ほども言いましたが、そんなことをしていたら脱炭して鈍ってしまうでしょうから。

土田　面白いのは、千代鶴さんは丁寧に叩く人で、火造り（金属を加熱して、金槌《かなづち》などで叩いて成形すること）も凄く精度が高かったんだけど、私の父は何回も見ていましてね。
　鉋なんかの平物（形状が板状のもの）の赤め回数って驚くほど少ないんです。まあ、鋼付けて四、五回と言っていましたね。今の人たちにその精度の火造りを、機械なしで、四、五回温度を下げながら赤めただけで出来るかと言えば、なかなか出来ないでしょう。

甲野　う〜ん。火造りの精度が高くて、しかも何回も赤めないで、そこまで持って行くというところが、名人なんでしょうね。

土田　その後、何回か非常に低めの温度に熱して叩いてきれいに精度を出していくというのは、出来ますけどね。ただ、丁寧にやることは決して悪いことではないけれども、工程の中には、鍛接したり火造りしたりする以外に、冷間成形みたいな工程があるわけですよね。冷間成形はね、定規で計りながらでも何でも、どんどんどんどん精度を上げていけるわけだから、それはそれで時間をかけてもいいんでしょうけど。火造っている時とか、火を扱っている時というのは制限があるわけです。冷間成形と火造りの工程を仕事の全体から見て、強弱みたいなのを上手く付けられる人が、私は専門職だと思います。

甲野　その辺りの難しさがあるので、相当器用な人でも素人では、この仕事は容易には手がつけられないのでしょう。

「こいつなら、いけるかもしれない」

土田　本にも書きましたが、玄能鍛冶の相田浩樹《あいだひろき》さんといって、凄く上手な玄能鍛冶の人がいます。相田さんは長谷川幸三郎さんの所に通っていたから、当然ながら上手いんだけれど、初期の頃に言っていたのは、「俺は数物《カズモノ》をやっていないから、あそこまでいけるかどうか分からない」と言われていました。それに気付いただけで、彼はとっても才能があると思いました。

最初のうちは凄く精度がいいんだけれども、ヒツ穴の中の酸化膜が少し厚いんですよ、幸三郎さんのより。手間をかけ過ぎちゃって。今はきれいになりましたよ！　要するに、自分の問題点を最初から分かっているんですよね。幸三郎さんは若い頃はね、凄く数を作った人で、大体一日に金槌を百四十丁、作っていました。

甲野 うわっ、それは凄い！ 多少なりとも鍛冶仕事の真似をした者としては、一日十四丁でも凄く頑張って作ったと思いますけど、その十倍ですか！（笑）

土田 機械なしで、ですよ。焼き入れと仕上げまでして。「あの頃は儲《もう》かった」と言っていましたよ。そして「お前の親父に会ったから、俺は貧乏になったんだ」ってよく言われました（笑）。

その幸三郎さんに教えてもらった相田さんには、百四十丁作ることは「どんなに今から修業していっても無理だろう」という感覚があるんですよね。

甲野 その、「お前の親父に会ったから、俺は貧乏になったんだ」というのは、お父様が幸三郎さんに千代鶴翁の玄能を見せて、「こういう仕事をやった鍛冶屋がいるんだ！」って幸三郎さんの職人としてのプライドを刺激されたというお話ですね。

土田 ええ、長谷川幸三郎さんと父が初めて会ったのは昭和四十三年です。十代で親方長谷川菱《ひし》貫《かん》の代わりに玄能を作っていた人ですので、独立してもすぐに名が売れ、産地では押しも押されもせぬ技術者でした。

そしてやはり向上心があったのでしょうね。千代鶴是秀が作った玄能が新宿のデパート（伊勢《いせ》丹《たん》）に展示されているというので、それを見に新潟から出て来たのです。

でも、あいにくその日はデパートの定休日でした。しかたなく、その是秀作玄能の持主であるという道具屋を訪ねることになります。

そして当方に入ってくるなり、「俺は三条《さんじょう》の玄能鍛冶長谷川幸三郎という者だ。杢鍛えも鋼付けも出来る。千代鶴是秀の作ったという玄能を見に来た」と自己紹介とも道場破りともつかぬ口上を述べたそうです。

まだ三十歳代の血気盛んな、そして身体の大きな、加えて態度もでかい人であったわけです。対した父は四十歳代。是秀と付き合っていただけあって、えばりちらし、自慢たらたらの職人が大嫌いな身体の小さな壮年の目立職人です。

「ばかやろう、デパートに貸してあるものが、ここにあるわけねえだろう」などと思いつつ、父は「ああそうかい、そりゃあ、お前さんは杢鍛えも鋼付けも出来るのかもしれない。でも玄能そのものが出来てないんじゃないの」と返したそうです。売り言葉に買い言葉ってやつですね。

幸三郎さんは、オニのように顔を赤くして、そこから八時間、ケンカ腰の二人は話し続けるのです。その思い出を幸三郎さんが語る時「俺はお前の親父に長く長く伸びた天狗の鼻を根元からポキリと折られた」という表現を使っていました。

甲野　それはまたいいお話ですね。

土田　また父、土田一郎は八時間もぶっ続けで、この若者と互いに口角に泡を飛ばしてやり合ったわけですが、その間に「こいつなら、いけるかもしれない」と思ったそうです。

いけるとは、すなわち千代鶴是秀という名工の喪失によって、ポッカリ空いてしまった空虚感を少しでも埋め合わせることが出来るかもしれぬという期待感によるものです。

甲野　お父様の「千代鶴是秀」という稀代《きだい》の鍛冶職人への思い入れは余人ではとても想像も及ばないほどのものがあったのだと思いますが、その千代鶴翁を失った空虚感が多少なりとも埋まるのではないかという予感がしたということは、長谷川幸三郎という鍛冶職人がよほどの方だったということですね。

土田　長谷川幸三郎という方は、会ってみればすぐ分かることなのですが、策士的なところがまるでない人でした。政治家にはとてもなれない、信じたことはそれが世の中を渡ってゆくうえで、ちょっと不利な方向のものでも誠実につらぬき通すだけの、どっしりとした安定感がありました。仕事もその人柄通りにするのです。

ですから、あれだけ玄能作りが上手であり、玄能作りに一生をささげながら幸三郎型なんて玄能は創出しなかったのです。

千代鶴（是秀）型、石堂（秀一）型って玄能はあるんです。一文字《いちもんじ》型は明治初めにマルサダ（〇の中に定）という玄能鍛冶が創出したものですし、穴屋《あなや》（穴大工）が使う玄能では徳川期の名工大黒屋《だいこくや》型が最良でしょう。金槌では関西型を変形させたヤマキチ（舎）型を九州の鍛冶屋が創出し秀逸です。

幸三郎さんは玄能金槌のそれらすべての型を、型の創出者たちより高精度かつ良質なものとして、しかも手際良く作り得ました。でも自分の名を冠するものなど創出しなかった。

これはどういう現象だと思いますか？　技術はめっぽう優れている職人ながら、創造性に欠けた工人と考えますか。私は違うと思います。

昭和五十年代でしたか、九州のヤマキチという金槌鍛冶は、幸三郎が作ったヤマキチ型金槌を見て、「ああ、こんな上手な人がいるのなら、安心して廃業出来る」と言って仕事から手を引いた、なんて伝説染みた話が残っています。

自ら認識しないうちに真似の域を超えられる人であり、超えたからといって声高《こわだか》にそれを主張してしまうような、下卑たふるまいをするような人ではなかったわけです。

幸三郎型とは、すべての玄能、金槌の型のうちに密《ひそ》ませる名なき名とも言えるでしょうね。赤鬼と化して、自らを主張する若者としての幸三郎。その無策な態度、その誠実さに、父は職人道徳の清潔を守護し得る人格を嗅《か》ぎ取《と》ったのだと思います。

甲野　その「密ませる」という表現がいいですね。幸三郎さんはオリジナルの型の玄能を創出した鍛冶職人よりも、高精度で良質な同型の玄能を作られたとのことですが、武術家のエピソードの中にちょっと似た話があります。それは、ある流儀で居合の「型」を新しく工夫した人物が、父でもある師にその「型」を見せて、新しく「型」として遺《のこ》していいかどうかの許可を求めた時、その師が「こう抜くのか」と、その場で我が子が創った「型」を抜いてみせたところ、その「型」を作った本人よりも見事に抜いたそうです。

土田　「我、～を極めたり」というような宣言には、あやうさが伴いますからね。大体職人技に「我」だの「彼」だの人称付けした地点で限界を設けているようなものでしょう。幸三郎型玄能なんて、この世に存在しないかのごとくふるまうことで、幸三郎さんはその人称の呪縛から解放されて、すべてをまたぎ越えることが出来たって感じですかね。

　昭和三十二年、是秀没年には、木工具製作の職人はまだわんさかいて、専門鍛冶個々には名人級もたくさんいましたからね。ですから、父も多くの鍛冶屋にアプローチを試みます。是秀並みになってほしいって意味ではなくてね。

　大体鋸は鉄之助《てつのすけ》、介左衛門《すけざえもん》、大場《おおば》って上手が三人もいて、彼らが作ったものは鋸の歴史上、最上質と言えるものであったし、錐《きり》は新井《あらい》三兄弟が作ったものがとても優秀で、それに比べれば是秀が作った錐なんておもちゃのようなものでしょうから。

　ただ、父の心はそれらで埋まりきらなかったんです。是秀は技術者として優秀なうえに、専門鍛冶的な保守性に留《とど》まらない、越境者的勇気を持っていたから。しかも何かをまたぎ越えても、下卑てしまわない道徳を持っていました。つまり仕事に対する純粋過ぎる誠実さです。

甲野　その辺りが「千代鶴是秀」が不世出の道具鍛冶と言われる所以《ゆえん》なんでしょうね。

土田　それでね、父は幸三郎さんが帰る時に玄能の図面を渡します。もちろん是秀が作ったものを元に作図したものです。

それから一カ月も経たぬ十二月もおしつまってから、幸三郎さんは図面を参考にした試作品を作り上げてきます。上手に出来ていたそうです。土田一郎は、「何だ、お前、もう玄能が出来るようになったじゃないの」と褒めたそうです。

それで幸三郎さんは嬉しそうな顔をして、その玄能を大事に包んで持って帰ろうとします。土田は「おい、その玄能置いていけ」と指示します。

おそらく幸三郎さんは、より良い玄能の規格を教授されたみかえりとして、と解釈したはずです。土田の指示に従います。

しかし、土田はその玄能に正月休みを利用して（といっても元旦のみが休日なのでしたが）穴大工方式の柄をスゲこみ、送り返します。

柄がすがった自作の玄能を手にした幸三郎さんは、その見慣れぬ形状の柄を握り、使用実験します。

そして土田に電話をかけます。「土田さん、八十匁の玄能が百匁の玄能以上によく利く」と実験結果を伝えます。土田は「分かりましたか。それが玄能です」と答えたそうです。

甲野　それは、その昔は秘伝中の秘伝で一門以外には極秘だったという穴大工の玄能の柄の方式で、スゲてあったんですね。この穴大工方式の玄能の柄が、一般の大工の玄能の柄とどう違うか教えていただけますか？　もちろん、公開出来る範囲内で結構ですが。それから、お父様がその技術を知ることが出来た経緯については、また後ほど伺いたいと思います。

土田　穴大工、あるいは穴屋と呼ばれた技術者集団は、徳川中期頃には成立していたと言われています。幕府が江戸に設けられ、政治の中心として、すなわち首都としての町作りをしていく中で、大工が分業化してゆき、ホゾ穴掘り専門の職人集団として穴大工は成立しました。

　木組みをするためのホゾ穴や仕口だけを加工するのですから、使用道具はノミと玄能だけです。他の大工のように鋸や鉋を使うわけではありません。

　当然、ホゾ穴掘り専門職ですから、普通の大工よりホゾ穴掘りに関してはとても早く正確にこなします。その早く正確にこなす秘密が、穴大工の道具であるノミと玄能の仕様、そしてノミ柄と玄能柄の工夫にあったのです。

　玄能そのものに関して言えば、大工が普通に使うものより丈が長いものを使いました。玄能の重さは同じであっても、丈が長くひょろりと細長いものを好みました。

　なぜなら玄能の頭は太くて丈が短いものより、その方が打撃力が集中して、利きが良かったからです。要するに、ピンポイントに振り下ろし、エネルギーが集約出来ます。同じ力で振り下ろしてノミ柄により効率的に打撃力を伝達出来れば、それは作業量の差につながります。

ただし玄能の頭が細長いものである場合、打撃面である玄能の口は小さくなり、振り下ろすコントロールも難しくなりますので、その柄をよほど工夫しなければ使えたものではありません。つまり、ノミ柄に当てにくくなるのです。

それを穴大工は数百年間の洗練を経て、細長い玄能の頭でも正確に振り下ろしが出来るような玄能柄の仕様を完成させてしまうのです。ちょっと見、特別な違いがあるようには思えない形状ですが、解析してみますと、もはや改良の余地などないぐらいよく考えられています。つまり素人が振っても安定するようにね。一人の天才が作ったものではなく、引き継がれて精錬されていったものの圧倒的な力量と完成度が、その柄にはあります。

そして、その秘密を集団内以外には明かさぬことによって、集団の存在価値を保ってきたと言えます。

昭和四十年代、角ノミ機の普及によって、穴大工は消えていくこととなりますがね。その仕様の柄を幸三郎さんより預かった玄能に父はスゲて返却したわけです。

甲野　やはり、玄能柄の構造については、今でもよほどの秘伝なんですか。

土田　秘伝なんて大層なものではありません。穴大工がいなくなってしまってからは、父は穴林という「穴大工最後の名人」と言われた人より習った穴大工方式の玄能柄のスゲ方、ノミ柄の直し方を、やる気のある若い職人にどんどん教えていきました。

面白い話があってね、野村貞夫棟梁にも教えていてね。初め父は野村さんに「穴大工の玄能柄は理にかなって使いやすいから、お教えしましょうか」と提案したのだそうです。すると野村さんは「当方には代々伝わる柄の型があるので、結構」ってなことを言い、断ったそうです。大工名家ですからね。それで父は野村さんと一緒に仕事をする若い大工に穴大工方式の玄能柄を教えてゆきます。

ある日、野村さんは現場の高い所の仕事をしていて、ちょっとだけ玄能を使いたい部分があって、手元にないのに気付く。下へ降りて取ってくるのも面倒で、近くにいた若い大工に「すまんが玄能を貸してくれないか」と声をかける。「へい、親方」と若い大工は野村さんに玄能を渡す。何気なくその玄能を使った野村さんは顔色を変える。「お前、この柄誰に習った」と若い大工に問う。「へい、土田の親父の所で」。

野村さんは、その日仕事が終わってすぐ土田を訪ねたのだそうです。「誠にもうしわけないが、穴大工の玄能柄の作り方をお教え願いたい」と、本当に深々と頭を下げたそうです。

それから一カ月も経たぬうちに野村さんの持つ大玄能、中《ちゅう》玄能、小《こ》玄能、豆《まめ》玄能、金槌類すべてが穴大工方式の柄にスゲかえられていたということです。

甲野　そのお話を伺って、また武術家の例で似たエピソードを思い出しました。

それは私も縁があって学んだことがある鹿島神流という流派を世に出した国井道之師範のエピソードです。国井道之（本名「善弥《ぜんや》」）という人物は「今武蔵《むさし》」の異名を取り、「国井の前に国井なく、国井の後に国井なし」とまで言われた遣い手で、合気道開祖・植芝盛平翁《うえしばもりへい》の所へも何度も手合わせを申し込んで、その都度丁重《ていちょう》に断られていた武術家です。

とにかく武道とか武術の「武」の一言を聞けば、「俺と立ち合え」と挑戦して負け知らずと言われた人ですが、この国井師範の門人に赤川今夫《あかがわいまお》という医師の方がいらして、私はこの赤川先生から直接伺ったのですが、ある時柳生《やぎゅう》家の誰かが刀を構えている写真を赤川先生が国井師範に見せて感想を聞いたところ、まるで評価をされなかったそうです。

ところが数年後、赤川先生の所に国井師範が来られて「いつぞやの写真だが、あれは柳生の隠し太刀といって、実に深い意味があったのだ！　あの時はああ言ってしまったが、知らなかったことが恥ずかしい、すまなかった」と涙を浮かべて謝られたそうです。赤川先生にしてみれば、別にただ話の流れで聞いただけで、特にその写真に思い入れがあったわけでもなかったので、この国井師範の態度に驚いたと同時に、国井師範の武術への純粋さにあらためて感じ入ったとのことでした。

土田　卓越者ほど、反省、発見の連続する人生を送るものです。その中で深く頭を下げたり、涙を浮かべて謝罪することくらい、発見の代償としては小さな小さな事柄に思います。発見って、要するに理解することであり、理解を道具なり、武の術なりに反映出来ればそれでいいんだと思います。秘伝ではなくしてしまう行為とも言えますね。

私も毎年職業訓練校二校で、玄能柄のスゲ方やノミ柄の直し方を生徒さんたちに話し、実演に行ってもいますので、秘伝でも何でもありません。誰でも出来る技術です。穴屋さんゴメンナサイですが。

話は逸《そ》れましたが、幸三郎さんのエピソードに戻ります。それから、次に幸三郎さんが訪ねてきた折、初めて是秀作の豆玄能を見せます。幸三郎さんは「一生かかっても、絶対にこの玄能に追いついてみせる」と宣言して帰られたそうです。

それで幸三郎さんはどんどん良いものを作れるようになるのですが、生産量は激減します。

甲野　どのぐらい減ったのですか？

土田　百四十丁作っていたものが、父に会い、次の年には一日二十丁になったそうですよ。収入が七分の一になるのですから堪りません。確かに貧乏になったのでしょう。

研究精進してゆくごとに生産量はもっと減ります。でも百四十丁をこなしていた頃の経験は生かされるのです。

生産量が七分の一になることは、作業スピードが単純に七分の一になるわけではありません。あいかわらず迷いのない素早い動作なのです。それでも一日二十丁しか仕上がらないはずのものが「玄能」なのです。

ですから相田さんが幸三郎さんの元に通い、技術を学びつつ、そして出来上がり精度として幸三郎さんに肉薄しつつ、「あそこまで行き着けるものか？」と遠い存在に思えたというのは、率直な感想だと思います。

これほどの技術は、真似したいけれども、なかなか真似出来ないでしょう。単純に経験値っていうんじゃあないですよ。長谷川幸三郎さんと同時代を生きた同世代の鍛冶屋さんは何人もいて、当然ながら修業方法も同じようなことをやっていたんでしょうけれど。

幸三郎さん自身は菱貫という所で修業をしていて、もう十代で、親方のものを作っていましたからね。

養子に入って、実働しちゃっていたわけですからね。十代で一人前だったたって自分で言っていましたから。「あそこん家《ち》のは、俺が作っていたんだ」ってね（笑）。

単純に経験値だけで、そうした技術が得られるかというと、それは無理でしょうね。要するに、身体を動かしてものを作り出そうという人は、その作り出す姿勢の中から、どうしたら精度が出るかとか絶えず工夫していくわけですよね。その積み重ねだと思いますけどね。

甲野　いや〜、やっぱり、昔は凄い人がいたんだろうと思っていましたけれど、私と生きている時代が重なっていた人の中にも、本当に凄い腕を持った人がいらしたんですね。

しかし、話がどんどん展開してきましたので、言うヒマがなかったんですが、今お話に出た長谷川幸三郎という方の最後の弟子と言ってもいい相田浩樹という方は、職人という感じがあまりしない、大変ユニークな方ですね。職人の方は大体ご自分の仕事を「好きも嫌いもない」というような言い方をされますけれど、相田さんは玄能作りが本当に好きだと明言されていますよね。

まあ、このことは後でお話ししたいと思いますが、これからの時代の職人というのは相田さんのような方が引っ張っていかれるんじゃないかと私は思っているのです。

土田 へえ～。浩樹さんは玄能作りが好きだと言ってらしたんですか。私には、その手のことはお話しにならない方なんですがね。甲野先生の人徳ゆえの彼の告白かもしれませんね。

甲野 いえいえ、私にだけではありません。ツイッターで公言されていますよ。玄能作りが大好きだと。それで私は「珍しい鍛冶職人の方もいるものだ」と思ったこともあって、当時まだお会いしていませんでしたが、ツイッターで相田さんをフォローしたのです。

土田 そうですか。子ども用の携帯電話しか持っていない私の認識不足でした。でも、公言し得ることこそが新しい世代の職人と言えるのかもしれませんね。

電脳機械をほぼ使わない私はどんどん世の中から、置いてきぼりにされているのかもしれません。かみさん頼りで、そういったSNS上の情報は、ほんの少しは耳にしているんですがね。どうも人もものも実物を目の前にしないとファイトが湧かないんでね。

それにしても「大好き」ですか。チョコレートが大好きとか言うのとは違うんでしょうね。ありゃいくら大好きでも三日も食べ続ければ飽きちゃうでしょうから。

甲野　ええ、玄能作りが大好きだと、とてもハッキリと明言されています。

土田　私も浩樹さんを見習わねばならないかもしれません。自分の仕事が好きかと問われると、返答に困りますね。面白いかと聞かれれば、面白過ぎるんですと言えるんですが。

　毎日の繰り返しの退屈さを解消するには、その作業に課題なり、探りどころを自ら作り続けてゆかねばなりません。それは別に苦ではないし、面白がることが出来るものです。

だって、大発見に思えた工夫がそれほどでもなかったり、意識的になしたわけではない小さな工夫が、実は結構重要な発見で、作業の改変につながったりしますから。「ああ、俺はバカだなあ、課題の創出の仕方が下手だなあ」なんて思いつつ仕事して暮らすのは、やっぱり面白いんですよ。

　でも「好きだから続けているのか」と言われると違う気がします。もし好きだから続けているのだとしたら、嫌いになったらやめなきゃならない。やめないためには嫌いになったものを好きになろうと無理な努力をしないといけない。「好きだ」と宣言し続ける重圧に私は耐えられるような人格者ではないからね。だから答えようもなく、ただ続けます。

甲野　そうおっしゃる土田さんだからこそ、多くの職人さんの相談に乗ることが出来るのだと思います。「私は仕事が大好きです」と明言されていたら、さまざまな悩みを抱えた人が、相談しにくいと思いますよ。

相田さんの在り方は、それはとても新鮮で魅力的ですし、これからの職人さんの在り方の一つの方向性を明示していると思いますが、そう断言されて置いてきぼりにされる人もいるでしょうから、土田さんのような昔ながらの部分と、一般的な職人の人たちにはない分析力、筆力がある方は、職人の在り方が変わろうとする今の時代に本当に不可欠な存在だと思います。

でも土田さんの「面白過ぎる」というご自身のお仕事に対するご感想は「大好き」とは別次元の集中のされ方ですね。

このお話を伺っていて、ふと「自分はどうなのか」と思って、今、私自身の記憶の内側を探ってみたのですが、武術に関わる、たとえば刀の拵《こしら》えとか小道具に関することは明確に好きと言えますね。

以前エッセイにも書きましたが、菜種油でほどよく煮込んだ目釘《めくぎ》の竹を、刀の柄の目釘穴の大きさに削ったり、切ったりしている時は、いささか大袈裟ですが「至福の時」でした。

土田　至福ですか。冬から春になっていって、水ぬるむ頃、「ああ、研ぎの仕事が楽になったなあ」って感じられた時が至福と言えば至福かな。

アカギレが治っていく時期です。でも数日至福を味わった後は、気候の良くなったことなんかすっかり忘れて、労働にいそしむこととなるんですがね。

甲野　ただ武術の技そのものの探究は、もうそれが習い性になっているので、「好きですか？」

と問われたら、土田さんとは違う意味かもしれませんが「好き」というのとは違う感じがしますね。

例えて言えば、犬ぞりを引く犬は「生きることとは走ること」というぐらい走ることが習い性になっていて、一千キロ以上の犬ぞりレースでゴールしても、まだ走りたがっているそうです。私の場合、歩いていても、またテレビなどでちょっと面白い道具とか現象を見ても、いつの間にか技への応用を考えているようですから。「ようですから」と「他人事《ひとごと》」のように言ってしまうのは、自分で意識する前に、すでにもうそのモードに入っているからです。

まあ職人と呼ばれる人たちの中には、私と同じような傾向の人もいるんじゃないかと思いますけどね。

手裏剣術が玄能作りのヒントに!?

甲野　相田さんと私のご縁が出来た最初のキッカケは、私はまったく知らなかったのですが、もう十何年も前に私がNHK教育テレビ（現NHK・Eテレ）の「人間講座」という番組に何回か連続して出た時に、私が手裏剣術を実演したのですが、それを相田さんがご覧になったことで、突然ヒツ穴を正確に抜くコツを会得されたことが始まりらしいですね。

土田　そうらしいですね。先生の手裏剣は前に見せていただいた先太で八角形の穴を開けるポンチのような形ですよね。

甲野　そうです。手裏剣は鋼で作りますから、鍛冶職とは縁が深いわけで、私が素人に毛の生えた程度とはいえ、鍛冶仕事がある程度、こなせるようになったのも、自分の手裏剣を自由に作れるようになりたいと思ったことが、キッカケです。

それで、今はもうありませんが、私の家から三キロほど離れた所にあった野鍛冶の親方の所に最初、手裏剣の製作を頼みに行ったところ、この親方が親切な人でしたし、当時もう鍛冶の後継者がいなくなりかけていた昭和四十年代初めだったので、質問すると面倒がらずに私のような素人でも、いろいろ教えてもらえたのです。

私もすっかり鍛冶仕事にのめり込み、比較的短い期間に火造りはそれなりに出来るようになりました。ですから、習い始めて一年くらいもした頃からは、多少なりとも親方の手伝いにはなったようです。たとえば、鉄道会社から線路の補修用のツルハシがすり減ったものを五十本ほど、鍛ち直して先を鋭くする仕事などの依頼があった時は、もう一つの金床を親方と向かい合わせに置いて、私も依頼された量の四分の一くらいは、こなせるようになっていました。その時のことを今も時々、懐かしく思い出します。

まあ、鍛冶職人は、手裏剣にはやはり関心がある方が多いようで、信州で最初の人間国宝となった宮入昭平《みやいりあきひら》（晩年、行平《ゆきひら》）刀匠も手裏剣には関心があったらしく、私の手裏剣術の師匠である前田《まえだ》勇《いさむ》根岸《ねぎし》流四代目の師匠に当たる、成瀬関次《なるせかんじ》根岸流三代目が著した『手裏剣』という本を大切にされていたそうです。そのことは、宮入刀匠の門人である山形県の上林恒平《かんばやしつねひら》刀匠から私は直《じか》に伺いました。

今世間では手裏剣というと、忍者が昔使った星形の車剣《しゃけん》と呼ばれるものを想い浮かべる人がほとんどですが、かつてはこの車剣は特殊な手裏剣で、小柄《こづか》という脇差《わきざし》の鞘《さや》に入れてあった小刀のようなものを手裏剣と多くの人は思っていたようです。

しかし、実際はそれも正確ではなくて、小柄という刀に付属している小刀は、楊枝《ようじ》を削ったり、紙を切ったりなど、日常のちょっとした用事に使うためのもので、刃が薄いですから空気抵抗を受けやすく、手裏剣として飛ばすのには向いていないのです。

江戸時代、手裏剣として最も一般的であったのは、針型、箸《はし》型、釘型などと呼ばれる断面が丸か正方形あるいは多角形の棒状のものが一般的でした。私が使っている手裏剣は、八角先太として後ろに猪《いのしし》や馬の毛を漆で巻き込んだ根岸流が元になっていますので、普通の箸型や釘型に比べると重心が前にあり、より剣の精度が上がっていて、遠くまで届くのです。

土田　あれは、弓の矢が飛ぶように真《ま》っ直《す》ぐ飛んでいくわけではないんですよね。

甲野　そうです。剣を掌《てのひら》に収め、腕を丸く打ち振って飛ばすため、槍投《やりな》げの槍やダーツのように、最初から的に向けて剣先が飛んでいくようには飛ばせないため、手から離れた時は剣先が上を向いていて、飛んでいる間に約四分の一回転して的に刺さるようにするのです。

土田　すると、距離によって回転の具合を変えないとダメですね。

甲野　その通りです。相田さんが感心してくださったのも、的までの距離を変えても、それぞれの距離でちょうど剣が的に届く時に、剣先が的に向いているように飛ばすところが、この直打法と呼ばれる手裏剣術の難しいところでもあり、また武術として見た時に最も対応力があると言われている理由でもあるのです。

なぜかというと、反転打法と呼ばれる剣の切先《きっさき》を手首側に向けて、空中でほぼ四分の三回転させて的に刺す飛ばし方は、西洋のナイフ投げなどにもよく見られ、回転しやすい剣の性質に沿ったものですから、直打法より修得は容易で、サーカスの「ナイフ投げ」などもほとんどはこの方法です。

ただ、この方法は近い距離が打ちにくいことと、距離がめまぐるしく変化した際に、それに対応することが難しいという欠点があります。それに比べ、直打法は修得が難しいですが、それが身に付けば剣をあまり回転させないため、ごく近距離でも打ちやすいですし、距離がめまぐるしく変わってもそれに対応出来ます。つまり、直打法は、反転打法に比べより実戦的な技法ということが出来ると思います。

ですが、この直打法の修得はなかなか困難で、私も近距離から中距離、遠距離、すべての距離で同じ重心の剣を同じ手之内《てのうち》、つまり剣を同じ掌の位置に収めて、そこから飛ばし、的に刺すということが出来るようになるまでは、ずいぶんかかりました。

一つは、剣の太さと長さの比率、重心の位置などに鍵があるのですが、そのことに気付くのにも年数がかかってしまいました。

土田　飛ばす距離によって重心の位置の違う剣を使ったり、持ち方を変えたりするものなのですか？

甲野　もちろん実際の戦闘場面では同じ重心の剣を同じ持ち方で、さまざまに変化する状況に応じて、瞬間瞬間に対応しなければならなかったと思います。しかしこれは、初心のうちは極めて難しいので、距離が近い時は剣を浅く持ち、距離が遠い時は深く持つ。また、距離が近い時は前重心の剣を使うなどといったことが行われていたのです。

こうした難しい技術を修得するために、いわば補助輪を付けるような初心者対応のやり方というのは、何か職人の仕事の中でも思い当たりますか？

土田　技術上の問題として考えれば、たとえば刃物研ぎにおいて、なかなか上手に研げない、平面が得られない、なんて壁にぶつかっている方には、「砥石上で刃物を行き来させるストロークを小さくしてみれば」とか、「行き来するのではなく、行くだけ、あるいは来るだけで研いでみれば」なんてアドバイスはします。

　人間の動作なんて、どこまで精緻《せいち》なものにしてゆこうとも、機械ではありませんからブレもゆらぎも残っています。砥石上で刃物を平行移動させているようでも、平行ではなく、厳密には円弧を描くように移動しています。

　円弧を直線に近づけるためには？　その円弧を細分化してみる他ないでしょう。短くなった円弧の曲率は変化するわけではありませんが、短い円弧のヘコミ[21]の深さは、長いものより浅くなります。

　また、どんなに上手な人が行き来させて刃物を研いでも、行きの時と戻して来る時の、砥石に対する刃物のおしつけ圧力の性質は同じじゃない。同じじゃないから、平らに研げないのです。行き来を繰り返すとね。そこで行くだけ、あるいは来るだけで研いでみればってことになる。

「もう少し研いでらっしゃい」を繰り返すよりは、技術上は有効なアドバイスだと思います。ストロークを小さくする、行き来させたりせず、一方向だけで研ぐ方法を取り入れると、初心者でも平面精度は向上します。理論に沿った工夫なんだから当たり前です。

21　ヘコミの深さ

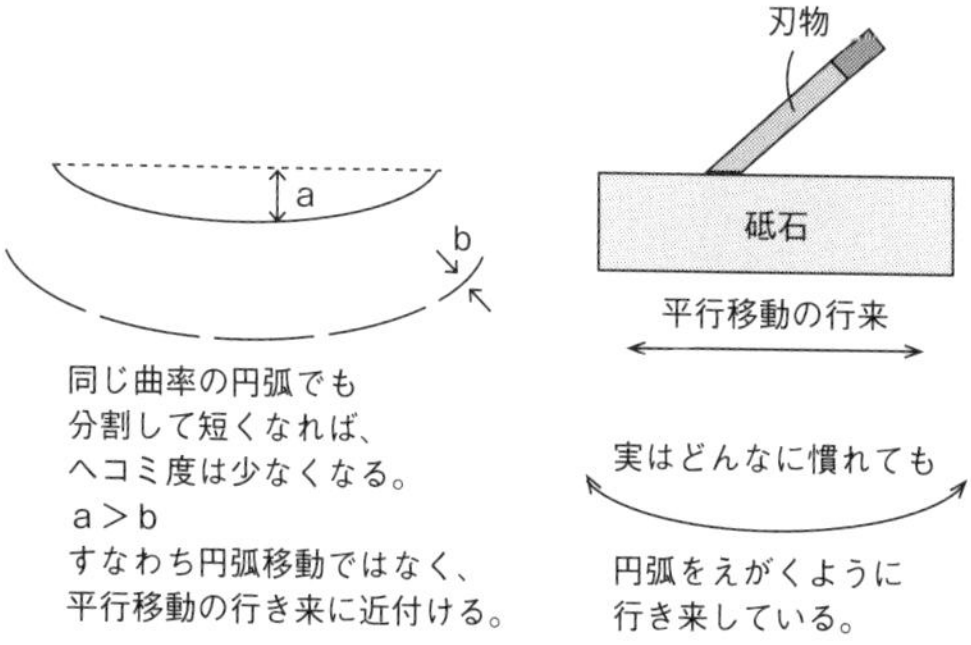
刃物
砥石
平行移動の行来
実はどんなに慣れても
円弧をえがくように
行き来している。
a
b
同じ曲率の円弧でも
分割して短くなれば、
ヘコミ度は少なくなる。
a＞b
すなわち円弧移動ではなく、
平行移動の行き来に近付ける。

でも、本当の修業はそこから先なんです。「平面に近くなった」「砥石と刃物の接する面の接地感覚も指先が捉えられるようになった」、そんな向上してゆく実感が得られるようになってから、どちらに進むかです。

たとえばストロークに関して、もうずいぶん向上したのだから、短いストロークから長いストロークの研ぎに移行してゆくか、短いストロークの方法に留まるのかです。

長いストロークにしても、技術は向上しているのですから、平らに研げます。しかも短いストロークで研ぐより早く研ぎ上がります。精進した甲斐《かい》があったとか、「俺って天才」って思うのかもしれません。

しかし、本当に高精度な研ぎを実現したいのであれば、短いストロークに留まり、それを続けます。上手になれたからとて人間の動作は完璧ではなく、円弧の曲率は浅くはなったかもしれませんが、円弧のままであるからです。

平らに研げているようでも実は平らではなく、平面に見える研面を、さらに平らにするには、ストロークを短くする他ありません。長いストロークに戻した人の初心者であった頃よりは平らに研げるようになった技術とは、向上には違いないのでしょうけれど、ただ作業に慣れただけのものに近いはずです。

慣れも技術の一部ですが、理論や理屈を無視し得るほどの力量なんて本当は持っていないんです。ただ現場状況というものが仕事にはありますからね。本当は短いストロークで時間をかけて理想に近づけたく思っても、その余裕がなければストロークを少し大きくして早く研ぎ上げ使えるように対応せねばプロとは言えません。そのことに自覚的であればいいんです。人間はどこまでいってもブレやゆらぎを持つもので、機械にはなれないことに……。それを承知で精進する他ないのです。

第二章

墨掛け荒掘り五分（鉋台屋・伊藤宗一郎）

甲野　そういえば、鉋の台屋の伊藤宗一郎さんも、あの堅い白樫《しらかし》の材から、鉋の刃が入る穴を五分で空けられたとか。

土田　墨掛け（工作目安線を台に書く）荒掘り五分です。それも本当に見せつけられたもん。伊藤さんは、墨掛けしないでも掘れてしまうほど、身体が極まっていたんですが、ちゃんと一丁一丁、墨掛けしていました。それを頼りにノミで掘るんですけど、早いです。墨掛けして貫通させるまで五分。

甲野　しかし、五分は凄いですね。結構、道具が使えるようになった器用な人でも、まあ、三十分ぐらいは普通かかりますよね。荒掘りと言っても、鉋の刃を入れるんですから、精度も必要ですからね。それに鉋台《かんなだい》は木ですから、白樫のような木でも掘って口を空けると、また少し反ってきたりしますよね。

土田　そうですね。一回貫通しちゃうと、空気が当たりますからね。その時に台は狂うわけですから、荒掘りが終わるとポンと放っておきます。それで、半日から一日経って多少狂いが出てから、今度は馴染みを取っていくわけですよね。その辺りの関係がきれいでしたよ、仕事がね。考えてみると、なるほどなという組み立てになっているわけですよ。

甲野　その辺りは、もう本当に職人の仕事ですね。

土田　私は伊藤さんの所に修業に行った時に、半日ぐらい教えてもらうというのを一週間に一回やっていたんですけれど、伊藤さんは言葉で説明するんじゃないんです。

伊藤さんがトントントンってやって、「こうやるんだ、はい、やれ」って玄能とノミを渡されるんです。五分で墨付けも荒掘りも終わっているのを見せつけられて、あまりに早いんで、最初は墨付けの順番さえ分からないわけです。「やれ」って言われても「どうしよう?」でした（笑）。

甲野　それは困ったでしょうね（笑）。

土田　まあ、やり始めてある程度したら、まだ精度は出ないですけど、形だけは出来るようになったんですけどね。

そうなってから伊藤さんの仕事を見ていると、伊藤さんは精度よりもペースなんです。墨掛けはパパパとこの時間の中でやる。荒掘りはパパパとこの時間内でやる、という感じで。

鉋の刃なんて一個一個、個体差があるので、その台との馴染みを調整する工程は時間をかけるんですよ。あれは立派なもんです。さっき言った仕事の緩急ですよね。パパパとやるとこはやっちゃって、時間をかける所はかける。

甲野　その辺りの段取りというか手際は見事だったんでしょうね。まあ、精度はもう完全に身に付いていたのでしょうし。

土田　で、私が伊藤さんに習って、真似しながらやっているでしょう？　そうしたら、伊藤さんが「あ、これ間違っているな、気に入らないな」と思う部分があるわけですよね。そうすると、言葉じゃないんだよね。もう、「どけ」なんです。そう言って、ノミと玄能を持って自分でカンカンってやる。要するに、体勢を見せてくれているわけですよね。

甲野　それでこそ職人ですね。

土田　でも、伊藤さん自身の修業時代は厳しかったみたいですよ。伊藤さんは親父さんに習った人なんですが、五枚ぐらい掘って、その仕事場の板の間で、クタクタに疲れて寝て朝起きると、最初のうちは、五枚全部をマサカリで割られている。そらショックですよね。いくらぺーぺーでも。せっかく手間かけて作ったものなんですから。

甲野　それが、だんだん割られる量が減ってきたというわけですね。

土田　そうです。「自分の息子なのに、修業に入った瞬間に、もう布団には寝かせてもらえなかった、仕事場で寝た」って言っていました。厳しいですよね。「『チクショー』って思った」って言っていましたよ（笑）。

甲野　その方は何年生まれくらいですか？

土田　昭和二年生まれの私の父より三歳上でした。九十四歳で、二〇一七年二月十五日に亡くなりました。

甲野　それは残念です。現代は、そういう本格的な修業をされた方が、まさに絶えるというところですね。

土田　苦労された方でした。戦争にも行きましたしね。それだけ厳しく育てられて、弟さんがいて、親父さんのお店は弟さんが継ぐことになって、伊藤さんは独立するんです。でも戦争に行って帰って来た時は、親父さんは凄く喜んで、私の父に「宗一郎が帰ってきた」とわざわざ報告にいらしたそうです。店自体は弟さんが継いでいるのにね。

甲野　しかし、まあ戦争から帰ってこられて、昭和二十年代と三十年代はもちろん、四十年代でも鉋の需要はあったでしょうけれど。その後は、どんどんなくなってきたでしょうね。

お話を伺っていた雰囲気から、何となくですが、伊藤さんの場合、道具に関しては千代鶴作とかそうした極上なものには、あまり関心は持っていらっしゃらなかった感じがしますが。

土田　そうですね。伊藤さんは道具としては大玄能とかノミを使うわけですが、決して良いものなんて使っていません。それこそ中流以下のものを上手いこと使っちゃうんです。

玄能は大きいのは大きいでしたけどね。大工さんが使う一番大きいのより、大きいですから。私はその玄能を借りて使っていたのですが、たまに玄能がノミ柄に当たらず、握る手に打ち下ろしてしまい、血が出て、次の日になると腫《は》れちゃう（笑）。

それでもね、伊藤さんは血が出たのを見て、タバコを吸いながら「材料汚すなよ！」ですからね。だから「痛い」とも言えない（笑）。その辺りにある鉋屑を傷口に巻いて、作業を続けるしかない。

甲野　大玄能って、二百五十匁、つまり九百四十グラムぐらいでしたっけ？

土田　二百二十匁（八百二十五グラム）くらいでしょうか？　まあ、凄いもんですよ。音が駅から聞こえましたから。

甲野　駅は三鷹《みたか》でしたっけ？

土田　そうです。伊藤さんの仕事場は、その三鷹の駅から近いんですけれども、それでも歩いて五分はかかりますね。その距離でカンカン聞こえていました。まあ、そうやって、思いきり硬い木を掘っていくわけですから。

　アテ台[22]と言って、硬い樫を掘るための台があるんですけど、それは床板を抜いて、縁の下の地面にあるコンクリートの基礎のうえに、直に巨大な樫のアテ台が立ち上がっているという構造なんです。だから響いてくるわけですよね。

22　アテ台

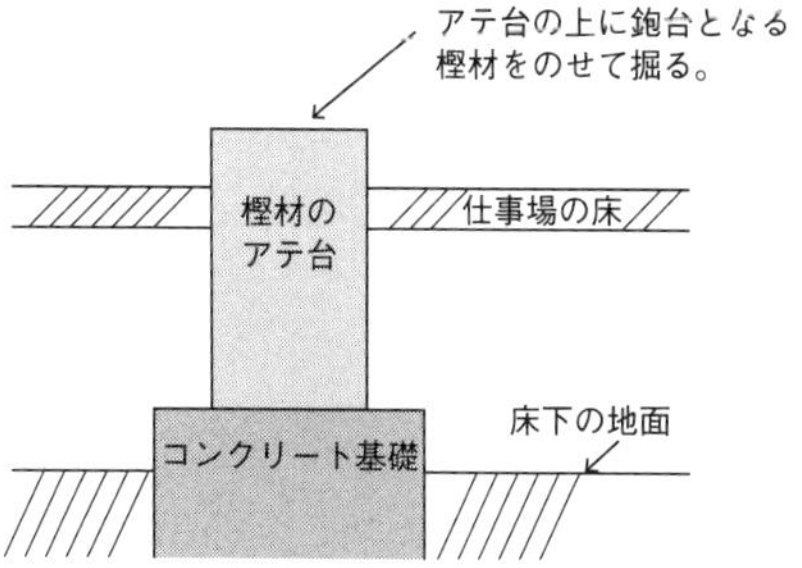

アテ台とは作業台のこと。

あれは本当に見ておいて良かったと思いますね。嘘みたいな話だけれども、あれだけのことをちゃんと出来る人がいたわけですからね。

甲野　そういうのを誰も映像として撮っていなかったのですか？

土田　残っていないもんですよ。映像資料は明治以降、写真とか動画とかある程度は進歩してきたんでしょうけどね。本当だったら、そういうものを撮っておくと、面白かったですけどね。ある意味、職人さんというのは普通の人じゃ出来ないことを仕事として出来る人種として尊敬されていた面はあるけれども、記録として残しましょうという対象じゃなかったんでしょう。純粋な芸術家と違って。

甲野　でも、それは残しておくべきでしたよね。

土田　竹中大工道具館は、幸三郎さんの映像を持っているんですよ。この間、五月に行った時に、久しぶりに幸三郎さんの玄能を作る映像を見ました。亡くなる寸前の幸三郎さんにもお会いしているのですけど、映像の中の幸三郎さんはまだ若い頃でね。いや〜、きれいな仕事でした。上手い！　簡単に玄能が出来ちゃうんです。本当に簡単そうに。

甲野　それは今度ぜひ見に行ってきます。

土田　金属に穴を空けるといったって、別に切り取ったり、レーザーで抜き取ったりするわけじゃないからね。鏨で抜いていくわけですから、抵抗があるわけですよね。それが、いとも自在に真四角の穴が空いちゃう。だから、穴の中を修正なんてしないですからね。火造りで上がっちゃえば表面の酸化膜を取り除いて焼き入れするだけ。

甲野　ヒツ穴の中をヤスリか何かで整えたりしないんですか？

土田　まったくゼロ。

甲野　玄能のヒツ穴はほとんど平行で、いわゆるアリ[23]にはせず、柄が玄能のヒツ穴に接している面全体に同じ圧力がかかるようにするのが、やはり本来の玄能のヒツ穴なのでしょうか？

土田　実は、密着する力自体が全部均等で面積が大きければ大きい

23　**アリ**——差し入れ口より出口の方が広い構造。

ほど、抜けないんです。穴の真ん中を少しすぼめる作り方をする鍛冶屋もいます。それはそのすぼまり、狭くなった部分が強く利いていて、ちょっと抜けにくいという理論になるかもしれないけれども。

甲野　つまり、アリ型のヒツ穴にして、そこにクサビを打ち込めば抜けないという点では、抜けにくいでしょうけど、ガタツキが出るし、玄能の利き方にも問題が出てくるということですね？

土田　そう！　当然です。面白いのが、玄能の穴って、大きさにも限界があるけれども、一般的にあるものより、幸三郎さんや千代鶴是秀さんが作ったのは、ちょっと細長くて小さいんだ。その方が利くの。

甲野　縦長になっている方が。ああ、でも確かに板の平らの部分と、側面の部分と、どちらで叩いた方が利くかといったら、側面の方がずっと利きますもんね。つまりそういうことなんですね。でも、ちょっと気付かないと思います。なにしろ玄能自体は硬いものだから、柄のための穴が多少違っても別に利き方に違いはないだろうって普通は思いますから。

土田　でも体積があるものに小さな穴を空けるって凄く難しいんです。大きくするんだったら簡単ですけど（笑）。

甲野　それは、そうですよね。私も鉄を赤めて、鏨で穴を空けたことがありますから、その難しさは身に沁《し》みています。

土田　すべて名品には意味があるんです。面白いもんですよね。さっき言った伊藤さんだってね、あんまりいいノミをお使いではないんだけれど、あんな硬いものの木口部分になる所をジューッと身体ごと持って行って突くんです。それこそ、さっきの玄能作りと同じで、堅木とは思えないようなスムーズさでズブズブッて突いていくわけですよね。

慣れない者が真似するとビっちゃう[24]わけですよ。切削抵抗が大きいですからね。

甲野　しかも、切出で削るような斜めに切るのじゃなくて、ノミですから、鉋と同じように切る対象に真っ直ぐに入れるわけでしょう。

土田　そう。それで、「俺の胸には突きノミの跡があるんだよ」ってシャツをまくるの。胸の突きノミの柄尻が当たる部分にくっきり

24　ビっちゃう—刃先が切削対象の木材上で弾んでしまう。

と痣《あざ》が出来ちゃってた。「身体ごと持って行かないと、上手く突けないよ」ってことを、それこそ言葉ではなく身をもって教えてくれました。

で、私は二年弱くらい修業をしたかなぁ。伊藤さんに「一通り出来るようになったんだから、後は自分で覚えな」って言われて、伊藤さんが使っている掘るノミと突きノミをくれるわけです。玄能はくれませんけどね。ウチも道具屋ですから、師匠が実用しているものをいただかなくても、いっぱいあるんだけど（笑）。いまだに取ってありますよ。

甲野　研ぎなんかも、しょっちゅう研がれていました？　鉋台は堅木の樫ですから、ノミの刃も消耗も早いでしょうからね。

土田　上手いもんでしたよ、刃付けはね。「研ぎは平面精度が重要」って言うけど、当然ながらウラスキ[25]側は平面です。ただ切れ刃は少し丸刃にシャカシャカッて研いじゃうんですよ。刃返りはちょっと残しておくの。その方が堅木は長切れ[26]するし喰い付きがいいの。そういうこともちゃんと知っていましたしね。

25　ウラスキ—鋼を鍛接した面におけるクボミのこと。スキによるクボミ。鋼をスクことによって成形されたクボミに砥石をあてて研磨する際、その接地面積を小さく出来るので、早く正確に砥ぎ上げられる。研磨しすぎて、このウラスキが消失したものをベタウラと言う。

26　長切れ—一度研いだら、その切味が長く保っていること。

甲野　へえ。そうなんですか。堅木の場合は、刃返りは取らないでおいた方がいいんですか。

土田　刃返りっていうのは、先生もご存じの通り、ノミや鉋を切刃面、ウラスキ面の両方に砥石をかけ、その両面の接線が刃先ということになるわけなのですが、刃先の先端にとても小さくですけど、ヒラヒラしたというか、ペラペラしたというか、とても薄い箔《はく》状のものが残存したもののことを言います。これが残っていると、特にヒノキや杉など柔らかい木を切削するには不利なわけですが、堅木に限っては、切刃面の方を研いだ際に返る方向の刃返りは有効なんです。

この効用に関しては、伊藤さんに習う前に父に聞いていましたし、鉋台の口の突き直しや、オサエ溝[27]が台がやせてきつくなったものを広げる作業等、伊藤さんに通う前からやっていた道具調整には生かしていましたので、伊藤さんの研ぎや道具を見て、やはり同じこと（効用）に気付いていてらっしゃるんだと思いました。ですから、研ぎに関して伊藤さんに何か注意されたような記憶はありません。

27　オサエ溝―鉋台を製作する際、鉋刃の両側部分が収まる溝をオサエ溝と言い、オサエ溝を加工する身幅の狭い鋸をオサエ挽き鋸と言う。

私が怒られたのは、台掘りを習い始めた時に、ノミの置き方についてですよね。こうやって掘った後、ついたりする時に、ノミをとっかえひっかえ使うわけですよ。で、ウラスキの方を下に向けてそのまま置くと、それは刃先が床に触っちゃうから、「どんな時も、ウラの方を上へ向けて置け」って怒られました。

考えてみれば、伊藤さんもランダムに置いてあるようでいて、扇型に全部ウラスキの方が上になっていてね。こういうところに決まりがあるんだなと思いましたよね。やっぱり道具立てにしろ、その道具自体がいいか悪いかよりも、調整の仕方だとか扱いだとか、すべてがきれいだったよね。まあ、そういう合理的な理由があるから、きれいに見えるのかもしれないけれど。本当に、幸三郎さんにしても、「まあ、プロだよね」という統一感やきれいさがありました。

甲野　私がお付き合いさせていただいている麻雀《マージャン》で二十年間無敗だったという雀鬼会の桜井章一会長は、やっぱり、すっときれいに牌《パイ》を扱われるんですが、とにかく手の甲がほとんど動かないという、信じられないような動きなのです。

それで一度、「麻雀の腕は大したことがなくても、牌の扱いだけは上手という人はいないんですか」と質問したことがあったのですが、言下に「それはないね！」ということでした。

まあ、それで考えてみたんですが、麻雀を打っている時の判断の迷いのなさが、その手の動きのスムーズさ、美しさとして出るんですね、きっと。ですから、ただ手の動きだけをいくら練習しても、麻雀を打っている時の迷いのないきれいな動きにならないんでしょうね。

KANEFUSA
KANEFUSA

土田　そうでしょうね。

甲野　桜井会長は日本の職人を、ものすごく尊敬されていますよ。やはり通ずるところがあるんでしょうね。

土田　俺が唯一、伊藤さんに褒められたのは、一日座っていられたこと（笑）。まあ、出来たものはひどいけれども。伊藤さんの息子さんはお継ぎにならなかったのですが、何人か教えたことがあって、教えられた人たちは大抵座っていられないんですって。中腰に近い状態で慣れないと辛いことは辛いんです。だから「座っていられただけでも偉い」って。そこしか褒められなかった（笑）。

甲野　ハハハ（笑）。確かに今は、正座で何時間も座っていられる人は少ないですよね。私は三時間でも四時間でも全然平気ですけど。ただ、まあ座ってやる仕事の座り方は、普通の正座とは、違いますよね。

土田　中腰なんですよね。片膝立てた体勢なんですよ。だから、結構厳しいんですよ。作業し始めは別にどうってことないけどね。二時間も三時間もやっていると……。

甲野　刀の研ぎ師の姿勢も割とそうなんですよね。

土田　そうですよね、あれも中腰っぽいですよね。でも台掘り姿勢とは別に、伊藤さんだって研ぐことだってあるし、そうすると研ぎ桶《おけ》の前で片膝を立てて、砥石に覆い被《かぶ》さるような前傾姿勢で。あれも、慣れないときついものです。その時は、身体ごと、本当に素早く研いじゃう感じの人でしたね。

　また、伊藤さんの所の特徴は、台にする材料の質が良かったことですよね。あの人は、当然ながら選んで台を仕入れるんですけれど、荒木のまんま入荷したものを、電動鉋をある程度かけて、それで乾燥させるわけですよ。井桁《いげた》に積んでいくんですけどね、それで三年以上。半年ごとに天地換えしながらね。

　そうすると、結局長くゆっくり乾燥させれば、確かにいいものは残るんですけど、割れちゃったり、虫に喰われちゃったりして、スコ（使えないもの）がいっぱい出るわけです。結局、儲からないんだよね、そんなことしていると（笑）。今の台屋さんは、そんな三年以上乾かすなんてこと、やりませんから。

　伊藤さんに「硬くて、減らない台なぁい？　これいい鉋刃なんで」って台入れを頼むと奥から重くていいものを持ってくるんです。三年半くらい昔ながらの乾燥法で乾かすと、木によっては軽くなっちゃうものもあるんですが、軽くならないものは水分以外の要素が多いから、密度があって硬くて減らない、つまり狂わない、いい台になるんです。採算から言うと不利な乾燥法をしなければ、「樫材の中でも、これが理想的な台だ」って分からないはずなんだ、本当は。

甲野　現代は、高周波乾燥などで早く乾かすことが多いですもんね。けれど、あれは木の質を脆くしますよね？

土田　その通りですね。伊藤さんは、自然乾燥という工程は踏んで、ちゃんとやっていましたよね。プロですよね。

理想的な鉋台

土田　「理想的な台」の話をすると、山に入って、樫の木を鉋台にする時は、ある程度の大径木が理想的なんです。樫の木なんて雑木で誰が植林するわけでもないものだけど、その中から大径木で、しかも目が細かいものを探すわけ。そういうのは、狂いにくくて減りにくい。そんな中で本当にいい台っていうのはね、木取ってしまうと、木表[28]、木裏が分からないんですって。

甲野　へぇ〜。そうですか。でも、確かにそうかもしれないですよね。木刀でも昔、作られた目の詰んだものは、木表、木裏が分かりませんからね。まあ、木刀は棒状のものですし、元々木表、木裏はあまり関係ないので、これが分かりにくくても不都合はないのですけれど。もっとも本当は木刀の刃に当たる部分が表皮に近い方で、刀の棟《むね》に当たる部分は芯に近い方、つまり棟は木裏で刃は木表がいいのだということは、聞いたことがありますね。

土田　木って円柱だから、普通は育ち目が芯から広がる、放射状になるわけですよね。でも、う〜んと大きくなっちゃうと、木表なんだか木裏なんだか分かりません。

　でも基本的には、木表の方を台面《だいづら》[29]にするから、刃が出る方、つまり下にするわけですよね。そうしないと、反対に反っちゃって使い物にならなくなっちゃいますから。

　伊藤さんに、「そういう大きい木から木取って表か裏か分からない時、どうするの?」って聞いたら、「まあ、大体勘で分かるんだけれども、最終的には削って判断する」って言っていました。削っ

28　**木表、**[illegible]丸太であるとき、表皮側が木表、[illegible]が木裏。

29　**台面**―刃が出る面。

て表面が空気に触れると、微妙に狂うんです。その狂いで判断するってことなんでしょう。「あ、なるほどね」って思いました。見て分からなければ、いじって反応を見るわけです。

甲野　ああ、木表の方は、真ん中がへこんだ形になって、つまりマイナスのアールとなり、木裏はプラスのアール、言ってみれば、お椀《わん》の外側と内側ということですね。

土田　面白いもんですよ。でもね、私が教えてもらっていた頃から、年々「いい木がない、いい木がない」って言っていたよね。

甲野　木刀も白樫が主ですけれど、「もう材料がない！」という話は、かなり以前から聞きます。

土田　樫材は、これを扱っている材木屋に選びに行くんだけども、あの人は「いくら分、全部送ってくれ」と言って、その中から、使えるものを、というのではなくて、やっぱり選ぶわけですよね。

そうすると、単価としては高くなるんだけど、「最終的には、その方が安い」と言っていた。選んでくる量が少なくて、やっぱり大きな木から取れて、いい目のものが欲しかったんでしょうね。

伊藤さんが台入れをされなく から、うちでは、三条の上手にスゲられる台屋さんに仕事を頼んでそれを販売しているけれども、いまだに「伊藤さんの台は狂わない、減らない」って大工さんたちに言われるよね。それだけの効用があったわけですよね。

甲野　伊藤さんの木を選ぶ眼が確かだったということですね。

土田　はい。しかし、採るだけ採って植林はしないんですからねえ……。

甲野　赤樫は、いいのはいいけど、ダメなのはまるでダメって言いますよね。木刀でも杖《じょう》でも「これが同じ赤樫か！」って驚くほど重さが違いますもん。いい赤樫は、お祭りの神輿《みこし》に使うと凄くいいって、言われていますよね。水をぶっかけられても、大丈夫。

土田　そうです。祭りの神輿は揉《も》まれるし、水ぶっかけられるしね。神輿作る人に言わせると、「神輿にするような赤樫ももうないよ」って言っていたけどね。本当は良い赤樫があれば、それが最高なんですけどね。

　樫材自体が狂う木ですから、いくらああいう風に堂宮建築と同じで組んでいくと言ったってね。なるべく素性《すじょう》のいいというか、狂わないであろう、目が真っ直ぐで細かい赤樫があればいいんですけれどもね。

　そういうものがなければ、他の材料でということになるでしょうからね。なかなかその辺りも難しいんじゃないかな。一部では貴重に思われていても、樫自体は昔から雑木だから、今から赤樫植林しろといっても使う者が少ないから、とても非現実的な話だと思いますし（笑）。
でも、ウチも田舎《いなか》の方に小さな鍛冶場を持っていて、その土地を手に入れた時に樫材がもうなくなっていくと知っていたから、植えたんです。実際に、親木自体がとっても目の細かい木から取れた実生《みしょう》の苗《なえ》を植えて、何本か出て来ているんです。しかし、いや〜、これが育たない（笑）。私が生きている間には、あれはいい台が取れるほどの大木にはなりませんねぇ。

甲野　それはとても無理でしょうね（笑）。ウチの庭の端に、ひと抱えはある白樫があるんですよ。私が子どもの頃からあったから、もう樹齢も百年はいっていると思いますが。

土田　昔から言われているのは、人家にあっても何でもいいんだけれど、根が踏まれていないのがいいと言いますよね。根が踏まれる所にあると、やっぱり木目が遊んじゃうっていうね。

甲野　ああ、それなら、ウチに生えている白樫は誰も近くを歩かないような庭の端にありますから、根は踏まれていませんよ。

土田　あと、切旬《きりしゅん》というのもありますからね。変な時に切っちゃうと、水を上げちゃって（水分を多く含んじゃうから）、虫が付きやすいし腐りやすい。

甲野　そうですね。やっぱり十一月、昔なら霜が二、三回降りた後ぐらいから寒の前辺りまででしょうか。

もっとも、この頃は暖かいから霜らしい霜も降りませんけど。寒い時期がいいというなら、寒の最中が良さそうな気がしますが、寒に入ると木はもう水を上げ始めていると言いますね。まあ、人によって多少その切旬の時期に意見の違いはありますが。

土田　木が水分や養分を地から吸い上げる前に、木は倒さねばいけないんですから、地域の違いも切旬にはあるかもしれませんが、樫は遅くとも寒入り前、十一月から十二月中旬が期間と言われてました。

でも、木工具の業界だって、鍛冶屋さんがいなくなる、台屋さんがいなくなる、ノミの柄屋さんがいなくなるだのというのもあるけれども、こうした樫などの素材の方がもう調達出来なくなってくるんじゃないかと思いますよね。

父は「江戸時代まではこの辺（三軒茶屋）が白樫の名産地だった、凄くいいのが採れた、多摩《たま》川の向こうへ渡ってしまうと質が悪くなる」と言うんですよ。土壌の違いがあったんでしょう。多摩川のこっち（都心に近い）側が良かった。それが採り尽くされていって、明治の終わり頃には川越《かわごえ》の方に北上して、そこも採り尽くされちゃって。

今はもう、茨城の方ですからね。樫材も北限があるでしょうから、そろそろ終わりじゃないかな、って思います。

甲野　そうですね。百年も経つ樫材で、根が踏まれていないという条件が付くと、少ないでしょうね。

土田　明治の二十年代に、高村光雲《たかむらこううん》が木彫りで「老猿《ろうえん》」を彫ったでしょ？　あれだってずいぶん、山の方にまで木を探しに行ったそうですよ。あれは一本の巨大なトチノキから作られたんだけど、それだけの素材がないから買いに行ったそうですよね。

甲野　トチノキは、蕎麦《そば》やうどんのコネ鉢《ばち》にするくらいですから、相当太いものがありますよね。まれにカツラも太くなるんですよ。私も宮城県の山中でカツラの大木の朽ち果てた跡は見たことがありますが、今も青々としているカツラの大木はまだ一度も見たことがありません。

　ホウの木も彫りやすくて、刀の鞘は九十九パーセント以上、ホウの木で、よく木彫りにも使われますけれど、ホウは樹齢が八十年くらいですから。絶対、大径木がないんですよね。

　木と言えば、私は刀を使う関係で、刀の柄材に凄く関心がありましたから、何が良いかずいぶんいろいろと調べた時期があるのですが、その時参考にしたのは玄能を始めとしたハンマーや鉈などの柄に使う木なのです。

土田　玄能柄にするのは、穴屋さんたちも言っていたけど、一番いいのはウツギ（空木《うつぎ》）、二番目はウシコロシって言っていたんですよね。

甲野　ウツギはそんなに丈夫なんですか？

土田　丈夫なんですよ。乾くと、プラスチックみたいになる。繊維質が強いし、水に強い。

甲野　でもウツギって、太くならないでしょう？

土田　太くならないですね。

甲野　何しろ、ウツギというくらいですから、芯に空間があるわけですよね？　ですから、腕ぐらい太いというのは、まずないですよね。

土田　それでも、探して来ちゃうヤツもいるんだけれども、まあ、そうそう、ありませんね。昔はウツギがいいっていう場合、要するに芯持ち[30]でスゲたんです、ほとんどの場合は。樫材よりは水には強いし、繊維質強いし、木殺し[31]も利くし、というので好まれたんですよね。

ただし、芯を含んでいるということは、要するに放射状に割れが入る。それでも、繊維質の強いウシコロシやウツギは芯持ちでスゲて、ちょっとぐらい放射状に割れが入ったくらいでは、使用には影響ないんです。

甲野　石屋のハンマーなどでは、むしろ芯持ちでないとダメだと言いますよね。振り上げた時、万が一「ビキッ」とヒビが入っても、芯持ちは目切れ[32]がありませんから、完全に折れて、背中や頭の上に重いハンマーが落ちてくることがありませんからね。

土田　ただ、やっぱり放射状に割れなんて入らない方がいいわけですから、太い木のものを、二つ割、四つ割にして、しかも目が通っていますというのがあれば、理想ですね。確かにそういうのを山に行って、見つけてくる人もいるんです。もちろん自分の山ではないでしょう。

ウチに来られる人で、阪神・淡路大震災で東京に出て来て、今、指物屋さんになっている人がいるんです。伝統工芸展に作品を出している方なんですけどね。

太いウツギが玄能柄には最良という話をしたら、「そういや、ウツギの直径一尺（三十センチ）くらいのものがある」というわけで

30　芯持ち―木の芯部分を取り除かないままの木取り。

31　木殺し―玄能のヒツにすげこまれた木材は、圧縮されていて復元しようとする力が（ふくらもうとする力が）ヒツから柄を抜けにくくしている。

32　目切れ―縦に続いている木目が製材によって途切れていること。

すよ。「え〜、それは珍しいね。なかなかないよ。ところで、お前、何でその木がウツギだって分かった？」って聞いたら、「プレートにウツギって書いてあった」って（笑）。

甲野　ええっ。それは、どこに生えていたんですか？

土田　要するに神戸の山ですから、国定公園の中。「お前それ絶対切らないでね、俺まで捕まっちゃう」って言って（笑）。

ウシコロシなんかも私の田舎の仕事場に植えてあるけれども、低い木で地面に近い所で枝分かれして太くならないんですよね。

甲野　そうですよね。ウシコロシ、つまりこの木の標準名はカマツカだったと思いますが、あの木も、そんなに太くなりませんよね。あの木は結構、千葉なんかの山にあるみたいですけど。

土田　枝分かれする部分で間引きするとね、多少太くなりますよね。

甲野　カマツカは刀の柄材にも向いていますね。まあ刀の世界では昔から柄材は柚子《ゆず》がいいと言われているんですが、私は柊《ひいらぎ》が好きなんですよね。柊は一段と粘り気があって丈夫ですよね。目が詰んでいるし、それに虫に喰われにくいですよね。柚子も丈夫ですが、とても虫が付きやすいんです。

土田　柊は柄木にもいいでしょうね。何しろ、あれは鉋の台木として最適なんです。でも、鉋の台になるような柊なんてないでしょう？

甲野　ちょっと、ないですね。ただ、以前、初めて宮城県の鹽竈《しおがま》神社に行った時に、今まで見たこともない太さの柊の木を見ました。根元から何十センチか上がった所で、もう二股《ふたまた》に分かれていましたが、とにかくその分かれる前の太さがひと抱えはありました。

柊の老木は、柊の葉の特色である先が針のようになったギザギザがなくなってきますが、普通多少は残るものです。けれど、この鹽竈神社の柊は結構探したのですが、普通のギザギザのある葉は一枚もありませんでしたね。樹齢は少なくとも五百年、いや七百年か、もっと経っているかもしれません。あれには本当に驚きました。

土田　それも勝手に切るわけにはいきませんね。お縄になる前にバチが当たりそう……。

柊の鉋台用の材料を私は二枚持っています。尺径くらいのを山に行く人が見つけてくれて、小鉋くらいには確かになるんです。その人は柄にしちゃったと言っていましたけどね。

もう一枚は普通の鉋の台の大きさがあります。それはあの、明治神宮拝殿の棟梁を務めた野村さんが手に入れたんです。

甲野　柊は本当に目が詰んでいて、何かちょっと象牙的な雰囲気ですよね。野村棟梁は、柊をどこで手に入れたんでしょう？

土田　ええと……御殿場ですね！　御殿場に、日本で開発された軍隊用の銃……そう村田銃って知っています？

甲野　薩摩《さつま》の村田経芳《むらたつねよし》が開発した銃ですね。村田は射撃の名人で銃に凄く思い入れがあり、ヨーロッパに留学して、村田銃を作ったんですね。

土田　そう。その人のお屋敷があったんです。そこに、鉋の台木になるほどの柊があって、野村さんは仕事に行った際、ちゃんと断って伐《き》らせてもらったそうですよ。

甲野　それはよほどの太さの柊だったでしょうね。千年ぐらい経っていたかもしれませんね。もう三十年くらい前ですけど、私の家の近くではありませんが、同じ市内に私鉄の新しい線路が通ることになって、その予定地に生えていた柊が、樹木の専門家によれば樹齢千年くらいあって、日本で分かっている限り最も樹齢のある柊だということでした。貴重な柊だということで移植されたのですが、結局枯れてしまいました。村田家の柊も、これに匹敵するくらいの樹齢だったのではないでしょうか。

名人大工と名人鍛冶の職人仁義合戦

土田　私は、野村貞夫棟梁は、「とても職人らしい人」だったと思うんだけど、職人の中では、はぐれものでしたね。仕事や道具のことは、凄く興味があったけど、職人さんたちの興味の対象であるお酒、博打《ばくち》の話などまったく興味がなかったらしく、いわゆる世間話が出来ない人でしたから。

でも、予算内、期間内で精度の高い美しい仕事をしてしまうし、技術も高かったから重宝がられていたんだよね。

甲野　土田さんのお父様と野村棟梁は特別親しくされていたんですよね？

土田　親父も同じような感じだったからね。野村棟梁はようちにいらっしゃって、変わり者二人で密談してました。

甲野　お二人が出会われたキッカケって何だったんですか？

土田　野村棟梁が、父が持っていた「千代鶴是秀の道具を見たい」って言ったんだよね。それを見せてあげたのが、キッカケですね。

初めて野村さんが当方に来られたのは、昭和二十六年の秋だったそうです。当方のお客様であった安倍《あべ》という大工と一緒に柳橋《やなぎばし》の料亭の仕事をしていた野村さんは、安倍さんから父が是秀と親しいという話を聞いて、訪ねる気になったのだと思います。

これまた長谷川幸三郎さんの時と同じで、用件だけ申し述べる姿勢で店に入って来たそうです。「千代鶴是秀と親しいと聞いて来た。是秀の作ったものがあれば見せていただきたい」ってな具合にね。

父もたくさんの職人を見てきていますから、これは単なる冷やかしではないことを感じ取ったようですね。だって「名工品を見せろ」なんて方はたくさん来られるんですが、「見て分かるのかね。それより、お前さんの研いだものを見せていただきたいものだね」なんて皮肉を言ってしまうのが常でしたから。

それが野村さんの場合は、すぐに見せるんです。店の板の間に上がってもらって、是秀作品が収納されている四段の小引出《こひきだし》ごと父は店に持って来たそうです。

野村さんは正座してね、待ちかまえているんです。父は一段目の引出を引き抜いてしまい、そこから荒突刃《あらつきば》、底取刃《そことりば》、脇取刃《わきとりば》と、溝鉋《みぞがんな》の刃を取り出して野村さんの前に並べ、切出小刀《きりだしこがたな》、刳《くり》小刀《こがたな》、毛引刃《けびきば》（＝罫引刃）と、一段目の内容物を小物も含めすべて取り出します。

野村さんは一点一点手に取り、ながめていたそうです。そして野村さんが見終わると、すべて引出に戻し、次の二段目の引出に土田が手をかけたところで、野村さんは声を発します。「いや、もう結構」とそれを制します。

そして、父の方にではなく、その小引出の方に向き、深々と頭を下げ「恐れ入りました。良い勉強になりました」と言って帰っていかれたそうです。

世間では高価で、しかも金を積んでも手に入らない、注文しても何年も出来上がって来ないなんて言われている作者のもの、しかも単なる平鉋刃《ひらがんなば》ではないものが次から次に取り出され、見せつけられたわけですので、野村さんも食傷気味になったのかもしれません。

しかし、土田が感心したのは、土田自身の言葉を借りれば「道具を見せて差し上げて、見せたあたしの方ではなく、道具そのものに頭を下げていったのは、野村さんが初めてだ」という点であったのだと思います。

甲野　野村棟梁は、それから土田刃物店に通うようになられたんですね？

土田　はい。それから数カ月後、次の年の昭和二十七年元旦、野村さんは土田を訪ね、是秀への注文を開始します。「二年も三年も待たねばならないっていうんでは困るんだ」という脅迫めいた言葉をマクラに注文品の刃物の木型を持って来られたそうです。

土田はそれを数日後、野村さんの口上とともに年始の挨拶がてら是秀に届けます。すると、是秀は七草の日に木型と同じものを仕上げ、土田へ届けます。「これは土田君への年始として差し上げます。その大工に届けて、次の注文を聞いていらっしゃい」と是秀は土田に託したそうです。つまり、注文しても何年も出来てこないという悪評に対し、是秀自身が抗議ののろしを上げたわけです。

土田は七草に是秀より受け取った刃物を一月十五日に野村に届けます。「早《はえ》え～な」と言われたとのことです。ここから名人大工と名人鍛冶の丁々発止《ちょうちょうはっし》の職人仁義合戦が始まります。

甲野　仁義合戦！　野村棟梁が頼まれた木型の刃物とはどういうものですか？

土田　はい。野村が頼んだ木型の刃物とは、彫刻道具の生反《なまぞ》りです。曲面を滑らかに削り仕上げるための湾曲した両刃の印刀《いんとう》のようなものです。もう十分基本的な道具は揃《そろ》ってしまっているのですから、実用するにしても、ちょっと変わったものを頼んだのですね。

是秀はそれを四、五日かけて作り上げ、無償で土田に渡します。

甲野　無償ですか。

土田　そうです。無償で渡されたものですから、土田は野村に無償で渡し、是秀の指示通り「次の注文」を野村に催促します。野村はいくら何でも自ら頼んだものを只《ただ》でもらうわけにはいきませんから、土田にどうしても礼金を支払いたい旨を述べます。

本当はね、「土田君への年始として……」って是秀の口上なのですから、土田は注文した野村から、ちゃんと代金を取れば良かったんです。でも、出来ないんですね、父にはそれが。

尊敬する名工の作ったもので商売したくないって気持ちがあるから。しかもすでに年始としてもらったものを、野村さんが代金を支払いたいからって、是秀に「いくらでしょう」と聞きにいけない。まあ板ばさみになってしまったわけです。

甲野　それは困られたでしょうね。それでお父様はどうされたのですか。

土田　そこで土田は野村とともにすでに三代目千代鶴を継いでいた落合宇一（千代鶴延国）に生反りを持って相談に行くんです。

落合はその師の作品を見て「俺が作っても最低二千円はかかる」と評価したそうです。三代目の言質《げんち》を取って、また次の注文たるものの木型も作って是秀を訪ねるのですから、是秀もお金を受け取らざるを得ぬだろうとの作戦です。

「次の注文」は剣先という刃物です。野村が考案した仕口の胴付面を仕上げるための刃物です。是秀はお金も木型も受け取ってくれたそうです。そして三月三日には剣先を仕上げて持ってきます。土田が「先生、おいくらでしょうか」と問うと、「お金はもういただいております。ところで次の注文は？」と、また受け取らない。頑固ですね。

甲野　おそらく、最初に野村棟梁が注文された槍鉋《やりがんな》に似た形の「生反り」は、千代鶴翁にしてみればお父様に贈呈したもので、その代金を野村棟梁から受け取る筋はない。

ですから、野村棟梁が「生反り」の代金と思って木型と共に注文された「剣先」については、野村棟梁はまだこの「剣先」の代金は支払っていないと思っているのに、千代鶴翁にしてみればこの「剣先」を注文する際に渡されたお金を「剣先」の代金の先払いという風に解釈されたということなのでしょうね。しかし、昭和二十年代の二千円は、現在なら数万円ですね。

もちろんお二人とも相手が意図するところを互いに察し合ってのことで、そこが面白いですね。

土田　土田と野村はまた落合を訪ね、値踏みしてもらう。今度はお金で持ってゆくと受け取らないだろうし、気を悪くするやもと考え、相当分の虎屋の羊羹《ようかん》を買い、「次の注文」の木型も作って持ってゆく。

いくら甘いものが贅沢品《ぜいたくひん》であった時代でも、かなりな量の羊羹を礼として渡したことになります。もしかしたら、妻信と二人暮らしの是秀が大量の羊羹を持て余し、次からはちゃんとお金を取ってくれるだろうとの計算が、土田と野村にはあったかもしれません。

甲野　「虎屋」の羊羹は、東京では重要な謝罪や、特別な頼みごとの際の手土産としては昔から定番ですが、そういう名人と言われた鍛冶と大工の職人のやり取りは、聞かせていただくと堪らなく楽しいですね。

土田　こんな駆け引きが延々と続くのです。職人の仁義合戦でしょう。そんな意地の張り合いをしてゆくうちに、野村の小遣いは底を突く。でも待たせず製作する是秀の野村に対する誠意は止まらない。野村は奥さんのシンガーミシンを売って、お金を用立てたこともあったそうです。この交流とも頑固合戦ともつかない経緯を詳しくすべて話していたら夜が明けてしまいますので、やめておきましょう。

甲野　いや、いつかまた、そちらに伺わせていただいて、奥様の手料理を御馳走になりながら、そうしたお話をゆっくり伺いたいですね。

土田　でも、野村の注文したものはヒナ留めの平突き、杉材罫引《けび》きに使用する大ぶりな白引、八十匁（三百グラム）の善作が作った小玄能が少し重く感じるようになったからと注文した七十匁（二百六十グラム）の小玄能……と、すべて使用目的が明確なものばかりです。名人是秀との知遇を得たからと、使わぬ宝物としての道具なんて注文していないところが野村さんらしいと思います。是秀もそれを見通せているので、次から次へと作っちゃった。

甲野　いやいや、いいお話を伺いました。何か耳から大変な御馳走をいただいた気がします。

野村貞夫棟梁の美意識

甲野　その辺りが千代鶴翁の千代鶴翁たるところだったんでしょうね。何しろ道具に対して理解度が低い者からは、どんなに金を積まれても作らなかったそうですからね。

それで痺《しび》れを切らした大工が警察に訴えたという話がありましたよね。その点、この野村棟梁の注文に対する対応の早さは異例中の異例ですね。野村棟梁は、どういうお生まれでしたっけ？

土田　野村棟梁は土佐《とさ》の山内《やまうち》家出入りの棟梁の御曹司だったんです。大正時代、山内家（侯爵）の東京への引越しに伴い、棟梁が小学生の時に一家は東京へ移ってね。

それから、学校に行きながらも仕事をやらされる形で修業が始まったそうです。お屋敷に出入りして、あちこち直していくんだけど、やがて仕事がなくなって、庭を掃除をするようになっていた。たまりかねて、野村棟梁はお殿様に「仕事はないか」と直訴したら、「刀の箱を作れ」と言われたんですね。それで、倉の中の刀の箱を作るんだけど、旧大名家だから刀がたくさんある。たくさん同じような箱を作るのはつまらないからと箱の木組みをすべて変えて作ったそうです

（笑）。

甲野　それは凄い。

土田　それをすべて作ってしまうと、また庭掃除に戻るんだけれど、野村棟梁はつまらなくなって、伝手《つて》のある関西に修業に出るんです。仕事もせずに手間賃もらうのは職人の恥だ、と父親に叩き込まれたそうですから。庭掃除は大工仕事じゃないですからね。

甲野　野村棟梁については、本当に凄いエピソードがたくさんありますよね。

土田　本当に身のこなしが凄かったですよ。建築中の現場内で、自分の身長より長い木材を、どこにも当てずにスムーズに上手く運んでいました。これって結構難しいんですよ。

甲野　いや、それは難しいでしょう。少しずつ用心しながらだったら、比較的、誰でも出来るのでしょうが、きっとさりげなくヒョイと担いで歩いて行かれたのでしょうから。

土田　野村棟梁自身は、ひょろひょろの体形の人だったけど、どんなに重いものでも、重心の捉え方が上手いのか、ゆっくり持ち上げることが出来たんだよね。ヒョイってね。ただ、面白いのが、あれだけ重心の捉え方が上手いのに、食事の時は握り箸で食べこぼしが多かったんです。
野村さんはお友達も少なかったから、よく家に来ていたんだけど、お酒を飲む時にピーナッツが出るじゃない。殻付きのピーナッツなんて最悪なんだけど、見ていると、割ってさ、口の中に入れようとするんだけど、口に入る粒の方が少ない。

甲野　ははっ！（笑）天才にありがちなエピソードですね。

土田　野村さんが帰った後さ、テーブルの下がピーナッツだらけなんだよね。何で、あんなきれいな仕事をするのに、そこは不器用なんだろうって（笑）。まあ、話に夢中だったから、というのもあるかもしれないけど。

甲野　かの千代鶴翁も刃物を作るのは抜群に上手だったのに、自分のヒゲを剃るのは苦手で血だらけになったとか。

土田　そうなんですよ（笑）。どこか抜けているんですよね。他にも、是秀は盆栽の手入れをしないから、もらっても自然に伸びさせて庭木にしちゃう。多分、興味があるものにはとことんこだわるけど、盆栽には興味がなかったんだろうね。
野村さんの話に戻りますが、戦後、明治神宮の現場の垂木《たるき》（長さ五間＝約九メートル×四寸角

＝十二センチ）を作ったんだけど、これがまた尋常じゃない速さでね。全国から集まった宮大工は一日に二本作るのが普通のレベルなんですよ。野村棟梁は何本作ったと思います？

甲野　その答えを私は知っているんです。いや、本当に凄いですよね。そのお話はお書きになった『千代鶴是秀写真集』に載っていて、「これは校正ミスじゃないか」と思って、以前、伺いましたよ。一日に十本だって驚きですけど。

土田　その四倍の一日に四十本作ったんですよ、野村棟梁は（笑）。反りのある垂木ですよ。

甲野　それは本当に凄いですよ。普通の二十倍ですからね。

土田　あまりに凄いスピードですよね。しかも一日二本仕上げた職人の垂木より野村さんが仕上げたものの方が精度良く出来ていた。驚くほど技術も高かったんでしょう。

砥石についても、面白いエピソードがあってね、人造の砥石で優れたものが発売されると、未練なく、今までいくらかけてきたか分からない秘蔵の青砥《あおと》を捨てちゃうんですよ。

砥石は、荒砥《あらと》、中砥《なかと》、仕上げ砥って言って、粒度の細かくなっていくものを順番に使っていって、鋭い刃を付けるのね。当然ながら、昔は工業製品がないから、天然の石を掘ってきて、荒い粒度の石が荒砥で、仕上げ砥は、細かい粒度の石を使っていたの。

中砥っていうのは、単価はそんなに高くないんだけど、なかなか良いものに当たらない。結局、大工さんたちは、単価がそんなに高いわけじゃないから、「わあ、あそこに新しい青砥が入ったぞ」と買いに行って、使ってみて、良いとまた次の日買いに行ったりするわけ。「今回入って来たのは良いぞ」とまとめ買いしておくわけね。良いものが出ることが少ないから。仕上げ砥は昔から高かったんだけど、大工さんたちは中砥の良いものを手に入れるためには、今で言えば百万や二百万の仕上げ砥を買うよりは、最終的にはお金がかかっちゃう。

甲野　要するに、たくさん買って、その中から選別する。

土田　野村さんも、もちろんそういう買い方をしていて、秘蔵の青砥を持っていたわけ。それが戦後、キングデラックスという中砥の工業製品が出来て、野村さんも使ってみたんです。すると、これが良かったんだよね。

そうしたら、今までいくらかけたんだか、分からない青砥全部を「もう要らない」ってゴミ箱に捨ててしまう。

甲野　本当に未練も何もなかったんでしょうね。

土田　野村さん、捨て癖があったの。鍛冶屋に作ってもらったもので使えないものも、作った職人さんに一言も文句を言わず、捨てちゃう。

甲野　文句を言って作り直させるのではなく？

土田　そう。同じものを五回頼んで、買い続けたこともあった。ある鍛冶屋さんに一寸八分（五・五センチ）のサライ鑿《のみ》[33]を作らせ、「切れない」って判断すると、それを返すのではなく、また同じものを頼みに行く。五回目に頼みに行って「どうにか使えるかな」ってものに行き着く。文句を言わず、返さずに買い続けているんだよね。

ある意味、下手だろうが、上手かろうが、職人に「仕事」をさせている以上、その手間は払う。職人の仁義であり、野村さん自身のポリシーだったと思います。

ただし、五回も同じものを作らせ、やっと何とか使えるものが出来上がって、野村さん曰く「ありゃ下手だね」です。

甲野　それで野村棟梁の家の前のゴミ箱から、砥石や道具を拾ってきて使っていた大工がいたということでしたよね。

33　サライ鑿―大方加工した仕口を突いて仕上げる叩きノミを差す。主に刃幅の広い叩きノミ。

土田　そうなんですよ。ずいぶんお金をつぎこんで作らせたものでも、研ぎ上げて切味が気に入らなければゴミ箱へポイです。

　野村さんに忠告した大工がいたそうです。「気に入らないで捨ててしまったものの中にも、使い減れば少しはマシになるはずのものもあるだろうし、硬度が高過ぎるだけで調子が出ないものは、作った鍛冶屋に持って行って焼き戻しをしてもらえば、激変して良くなるものもあるよ」と。

　それに対して野村さんは「そうかもしれない。でも良くなるまで減らしてみたり、鍛冶屋へ行ったり来たりする時間的な無駄を考えれば、その分俺は一所懸命働いて、その手間賃で良い道具を手に入れた方が理にかなっていると思う。気に入らないものに時間をかけることは、精神的にも疲れるしね」と答えたそうです。なるほどねと思いますし、この忠告した大工は、野村家のゴミ箱からいくつか道具を拾ってきた経験があったのやもとも思います。

　とにかく道具の調整法、使用法には自信を持っていた方ですので、忠告など聞き入れなかったわけです。

甲野　野村棟梁は、自分が使わなくなった道具や砥石を何も捨てなくても、誰かにあげれば良さそうに思いますが、「自分が要らない」と思ったものを、人にあげるのはきっと野村棟梁の美意識が許さなかったのでしょうね。

土田　失礼に当たるとも思ったんじゃないですか。

野村さんは、たとえば現場で、他の大工に「親方、申し訳ないが、薄ノミを持ってくるのを忘れてしまったんですが、貸しちゃあいただけませんかね」なんて言われると、意外にも快く貸すんです。名品道具をたくさん持っていて、しかも使用調整を高度にし得る職人は、普通嫌がるものです。

しかし、野村さんには現場の円滑な進行をこそ最優先させるという、上に立つものとしての義務感が働くのでしょう。

でも本来は、道具の貸借はあってはいけないことです。職人は働いて手間賃をいただき、そのうちから道具代を出すのですから。借りた職人は、貸した職人の賃金の一部を奪うことになります。ですから、他人の道具を借りて仕事をするなどというのは職人の恥である、という道徳が成立するわけです。

甲野　まあ、確かにそうでしょう。

土田　そうなのですが、道具の貸借が行われず、現場状況が少しでも遅延するようなこととなれば、それは施主に対する裏切りであり、さらに大きな恥となります。ですから貸すのです。

野村さんが変わっているのは、そこから先です。自分が持っている薄ノミの中で、最も上等なものを貸してしまうのです。普通は、一級、二級、三級って等級の違う薄ノミを持っていたら、三級品を貸すのが常識です。持っていなかったり、持ってくるのを忘れた職人の不徳・不注意を埋め合わせれば義理は立つのですから。であるにもかかわらず一級品を貸す。

甲野　う～ん、その辺りがいかにも「タダ者ではない」野村棟梁らしさですね。で、その一級品を貸す理由も聞けば「ウ～ン」と唸るようなものなのでしょうかね。

土田　その理由は野村さん曰く、「何だ、親方はこの程度の道具を使って仕事をしているんだ、って思われるのが嫌でね」だそうです。

ただし貸す時、一つだけ条件を付けます。「研ぎ直して返却などという配慮は一切無用。欠けようが曲がろうが、そのまま返却するよう」っていう条件です。

恐いですねえ。お前に研ぎ直されてしまったら、それを気に入ったように、さらに研ぎ直さなければならないからって宣言しているのです。

借りた職人は緊張しますよね。借りたものを丁寧に使わざるを得ない。そして、こんな恐い思いをしてまで他人に道具を借りるくらいなら、ちょっと遊びを控えて、良い道具を自分で買いそろえておいた方が正解だなって思うのです。野村さんは自身の道具の質や調整技術に相当な自信を持っていたってことでもあります。

甲野　やはり「さすがにさすがな」野村棟梁ですね。何だか昔の源《みなもとの》義経《よしつね》のエピソードを思い出しました。

義経の場合は屋島《やしま》の合戦でしたか、海に自分の弓を取り落としてしまったのを、身の危険も顧みず、それを拾うんですね。そのことを後で味方の一人に「どれほど高価な弓か分かりませんが、弓を惜しんで命を捨てたらどうなさるのです。あのようなことは慎んでいただきたい」と言われます。

すると、義経は「いや、弓を惜しんだわけではない。もし私の弓が叔父の為朝《ためとも》ほどの強弓《ごうきゅう》ならば、わざと流して敵に取らせてやってもいいが、私のような弱い弓では敵に取られ、『これが源氏の大将義経の弓か』と笑いものになってしまうので、命に換えても拾ったのだ」と答えたそうです。

エピソードの内容は、一方はより良いもので、一方は劣ったものの話ですが、その精神には通ずるものがありますよね。それで思い出したのだと思います。

マサカリ遣いとゴルフのフォーム

土田 その野村棟梁が、戦時中、東北の山へ行って木挽《こび》き、製材の技術を学んだんですけど、「東北の人はマサカリで荒加工で斫《はつ》っていくのが上手い」と感動したそうです。

倒した木をそのままどんどん、角材にしていっちゃうの（笑）。

甲野　マサカリ、つまり斧《おの》だけですよね！

土田　そう。マサカリだけで（笑）。

甲野　そのお話も以前伺って、本当に感動したので、よくゴルフ関係者にも話すんですよ。「今のゴルフのフォームは根本的に間違っていますよ！」という理由を説明するために。

なぜそういう話をするのかというと、今のプロゴルファーは、ほぼ例外なく、身体を痛めているからです。そう言うと、「いや、プロのゴルファーは練習量が違いますから」という反論があるのですが、その時、このマサカリ使いの話をするのです。

「プロゴルファーがどれほどの量の練習をしているとしても、昔の東北の斧使いの名人の仕事とは、まるで比べものにならないでしょう。そこまでの斧使いの腕になったというのは、その仕事で身体を壊すどころか、ますます丈夫になっているからですよね」と。私は、ゴルフのクラブを一般的に知られている形で振ろうとすると、身体がとても嫌がるのです。このことからも、現代のゴルフのフォームは根本的に問題があると思うのです。

ゴルフの起源は諸説ありますが、元々は、とにかく仕事として目の色を変えてやるようなものではない、ごく単純な気晴らしのゲームだったと思うのです。それが近代になって、高額の賞金がかかり、選手たちが鎬を削る有名スポーツになってしまったことで、急に「科学的に有効」といった身体感覚抜きでのフォームの研究がなされ、それが普及してしまったのですね。それは元々このスポーツに関しては、非常に身体が使える熟練者がまったくいなかったからだと思います。

ですから、私がどうしてもゴルフをやらなければならなくなったら、まったく違うフォームでやります。

土田　たとえば、どういったフォームですか？

甲野　それは現在広く行われているように身体を捻《ひね》って構えるのではなく、現在の常識的な方法と反対方向からクラブを回して肩の上に構え、身体全体が向き変わることで、クラブを振る方法です。こうすると、腰に無理な負担がかかりません。

何にせよ、自分の身体に聞きながら、自分で納得出来る方法を模索しながら始めます。

土田　あはは！　そうしたら、甲野先生のフォームに見合ったゴルフ道具も新たに作ってゆかなければならないかもしれませんね。クラブのグリップが刀の柄巻方式だったりして。

いや失礼。私には縁遠いスポーツで、一生関わらない気がしますから、冗談を言う資格もないのでしょうけれど、ゴルフはプロ選手以外は交友、商談、密談の場であり、スポーツとしての様式が、かなり洗練されているからこそ、その中で安心してスポーツ以外の諸々《もろもろ》を織り込める装置となっているようにも思うのです。

つまり茶道と通じますね。政治・経済まで動かしちゃったりして。地球を相手にするスポーツというのも、あながち間違っていないのかもしれませんよ。何だか茶シャクとゴルフクラブがダブって見えてきたなあ。

でも私はどうせ握るなら、木工具の方がいいですね。鋸で木を挽《ひ》き割《わ》り、ノミと玄能で木組みの仕口を工作し、鉋で木の表面を滑らかに削ってる方が、地球を相手にしている気になれますから。

甲野　いや、その方がずっと健全ですよ。人との交流や商談などにしても、私は以前、木を削ってスプーンなどを作るというワークショップに参加したことがありますが、その時は、参加者同士、とてもいい雰囲気になりましたから、ゴルフよりも、このような社交の場を作ったらいいと思いました。
まあ、人それぞれ好きなものがありますから、ゴルフもやりたい方はやっていただいたらいいと思いますが、芝生は刈るだけにして、現在のようにきれいな芝生を作る目的で除草剤を大量に使うのは自重していただきたいですけどね。

息の根を止められた鋸鍛冶

甲野　現在は、手仕事としての木工道具は、どんどん廃《すた》れていっていますが、その中でも鋸鍛冶が一番、仕事がなくなってしまったでしょうね。

何しろ、今はもう目立が出来ない、硬く焼きの入った、使い捨ての鋸がすっかり普及していますから。この使い捨て鋸の切味には、目立をして使っていた従来の鋸では、太刀打ち出来ませんからね。

土田　そうですね。替刃鋸《かえばのこ》の硬化は、高周波焼き入れによってなされています。その硬度は伝統的な鋸よりずっと高く、木材ばかりでなく、もっと硬い樹脂系のものや、金属ですら切断可能という意味において、よく切れます。

現在、木造建築といっても、その木系素材は合板、積層材等々、木と接着剤の複合素材が多く、接着剤の中には硬化するとガラス相当の硬度を持つものもありますから、伝統的な鋸などで加工しようものなら、鋸の刃はまたたく間に摩滅し機能しなくなります。

ですから、そういった新素材に対しては、替刃鋸の硬度は必要条件なのです。

またその研磨も、機械を使いますから正確です。しかし、硬度が高いために普通のヤスリでは研磨は出来ませんので、使い捨てという方式を取らざるをえません。
この替刃鋸が登場して、鋸鍛治は息の根を止められたといっていいでしょう。その普及とともに鋸鍛治の数は急激に減ってゆきました。

甲野　今、鋸鍛治の方は、どのくらいいらっしゃるのですか？

土田　私が父の元で修業を始めた三十五年前、新潟県三条市だけで二百軒ほどの鋸鍛治がいました。現在はゼロです。全国見廻してみても、十本の指で収まります。

甲野　そうでしょうね。何年か前に熊本で講習会をした折、その講習会の世話人の方に人吉で鋸鍛治をされている方の所まで案内していただいて講習会の打ち上げも兼ねた食事会をしたことがありますが、九州で鋸鍛治と言えば、もうそこぐらいというお話でしたね。

土田　そうです。伝統的木工具の中で一番衰退した分野と言えますね。もはや絶滅危惧種を通りこして、瀕死《ひんし》で面会謝絶状態です。替刃鋸に淘汰《とうた》されたと考えていいでしょう。
しかし、本当は無垢《むく》の木材を切断するのであれば、私は伝統的な手鋸《てのこ》を使った方が良いように思います。

上手な鋸鍛冶が作った鋸の板は、厚み配分も腰具合、すなわち金属が緊張していたり、ゆるんでいたりする配置も理想的ですから、使って刃列側の金属が、その摩擦熱で伸びても、それを逃がす機構が出来ていますので、自立直線性（鋸板が真っ直ぐであり続ける性質）が保たれ、アサリ（鋸刃《のこば》を一本ごとに左右に振る、つまり曲げること）の度合が少なくても、木材中で鋸板がしぶる[34]ことを防ぎます。

アサリが少ない分、その挽き分（切断溝の狭さ）をより小さく出来、切削抵抗も小さく出来ます。つまり鋸屑《のこくず》となる体積が少ないのですから、木を無駄にする量が少なく、軽い力で工作出来るのです。

替刃鋸は、その点、鋸板は単なる鋼板ですから、木材中でしぶらないように、かなりアサリの度合が大きいのです。ですから大きな挽き分の中で、鋸板は遊びがあって作用し、その切断面はかなりバサつき、線状の切削傷が深めに入ります。

小さなこと、小さな違いなのかもしれませんが、私は伝統的な鋸の方が、無垢材を加工する場合は理想的と感じます。

甲野　いや、さすがにご専門とされている木工道具の中でも、特に

34　しぶる―渋る。木材中で鋸が円滑に往復運動しないさま。

鋸のご専門なだけあって、本当に腑《ふ》に落ちる説明を聞かせていただき、感じ入りました。

土田　いえいえ。しかし何と言っても、使い捨ての替刃鋸が驚異的なのは、その工業製品としての価格です。替刃一枚が五百円くらいでしょうか。切れなくなった鋸を目立すれば、私がやって、板の狂い等の調整をして一日二枚半くらいしか仕上がらず、その目立代は二千円台ですので、もはや対抗しようもありません。完敗です。

ただ鋸という道具は歴史が古く、使用場面は絵巻物などの資料で辿《たど》れる程度のものでしょうけれど、建築や工芸品の切削痕を検証してみれば、有史以来という言葉があてはまるのではないかと思います。

正倉院御物の工芸品も、使用材料とその細密な細工からすれば、クサビ割、マサカリ、手斧《チョウナ》、ヤリガンナのみでの製作は絶対無理でしょうし、それらの多くが渡来品である可能性を考えあわせてみても、日本は外来の文化や技術を取り込み独自化することに長《た》けた国ですから、その細密を再現し、推し進める工人的試みを絶対にしたはずです。鋸でしか出来ない加工、台鉋《だいがんな》でしか再現出来ない加工と分かれば、道具を生み出してでも行き着こうとするのが工人なのですから。

そして鋸一つとっても、それこそ電動工具と替刃鋸の普及による衰退までは、ゆっくりではありますが、着実な進歩を遂げてきたように思います。その連綿と続いてきた歴史をなかったもののごとく扱うことが、私は堪らなくもったいないように思うのです。

もちろん、消えていこうとしているものに、無理にスポットライトを当ててみるようなことはしたくはありません。限定された光源は、新たなる暗部を生み出すことに他なりませんから。

甲野　その辺りが、土田さんが「大工道具はあくまでも実用的に職人の手で使われていてこそ、意味がある」と思われているところですよね。

ですが、人間が手道具をさまざまな工夫によって進化させてきた歴史については、体感的に学ぶ歴史というジャンルを新しく作ってでも、教育の中に取り入れるべきだと思いますね。

土田　実験考古学という分野になってしまうのかもしれませんが、なにせものは触って、いじり尽くしてみないと分かりませんからねえ。鉋やノミが優秀な鍛冶屋のみで成立するわけではないことも体感出来るのかもしれませんねえ。

たとえば一つの道具を成立させるために、多くの職人が関わっていることを認識しなければなりません。上等なノミを手に入れたいと思って、大工が上手な鍛冶屋の所に注文に行けば、それでノミが成立すると思ったら大間違いです。

現在のノミ鍛冶が、ノミの口金《くちがね》[35]やカツラ[36]まで作ったなんて話は聞きません。金属製の簡単な付属部品でしかないものですが、口金やカツラがなければノミの穂先がいかに上等なものでも機能しません。

たとえば上手なノミ鍛冶が、消えゆく「文化」や「技術」として、テレビや本などで取り上げられ、ネット上で情報として広まったとします。とても大きな力を持つ伝達装置によって、その情報が広まれば、ノミ鍛冶はスポットライトを当てられた対象となりますので、大工手道具など売れなくなってしまった時代に、驚くほど多くの注文が舞い込むことになります。

これは決して悪いことではありません。でも、その注文を出した多くの人のうち、どれだけの人が必要道具、実用道具として注文を出したのかは、かなり疑問なのです。だって、その鍛冶屋の作ったものが本当に必要であれば……その鍛冶屋しか作れないものがあって、それを仕事上必要と考えたのであれば、スポットライトが当てられる前に注文しているはずですから。

甲野　それはその通りですね。

土田　もちろん、こんな鍛冶屋がいるんだと知って、注文してみることが悪いわけではありません。

ただ、それを知ったということは、さらに知り得るべき他の鍛冶屋や、ノミを成立させるために必要な、穂ではない部分を受け持つ製作者がいることを、無意識的に排除して「このテレビに映ったノミが欲しい」と思っているにすぎないのです。

35　口金―コミ部（中子部）でノミ本体と柄の接合する部分をしめこみ、ノミ本体と柄を抜けにくくするための金具。

36　カツラ―ノミ柄の柄尻は玄能で叩かれ変形しやすいため、その柄割れを防止するための金具。一般に木製柄と口金とカツラ一体のものをノミ柄と言う。

間違いなく、注文者のすべてに近い人々が、その鍛冶屋にノミの穂だけ注文し、それに合った口金やカツラを自分で入手し、自分でノミ柄を製作するなんてことはしないはずです。

こうしてスポットライトを当てられる部分は一時的に活況を呈しますが、明るく照らしたものの周辺は、むしろ暗さを増し、不可視部分と化します。

ですから、ノミの柄屋、ノミの口金やカツラを作ってくれる職人、鉋の台屋などは、鍛冶屋以上に数が減り、鍛冶屋以上に後継ぎがいない率が高いのです。いや、次世代がゼロと言ってもいい状況です。

大正から昭和、戦前の話になりますが、ある大工が千代鶴是秀に組ノミ[37]を頼んだのです。もちろん直に注文したのですから、穂だけが出来上がってくるのです。大工も上手な人ですから、柄は自分でスゲることにしていましたが、道具屋で売っているような口金・カツラでは名品ノミに見合わないと考え、穂が出来上がった時に是秀に口金・カツラも作ってもらえまいかと相談する。いくら高価になってもいいからと。

しかし、是秀は手のかかる組ノミを仕上げ、疲労困憊《ひろうこんぱい》しているうえに、かけた手間からすると、単価が鉋や切出より安いノミを手が

37 組ノミ—様々な刃幅のノミを複数本そろえたセット。

け、その上一本一本に合った口金やカツラを製作するとなると、さらに儲からない仕事をせねばならなくなり、生活が成り立たなくなる。

そこで是秀は大工に一人の鍛冶屋を紹介するんです。浅草橋《あさくさばし》の國《くに》秀《ひで》という鍛冶屋です。ノミ・鉋はもとより、バールも作れば機械作《さく》里《り》[38]、角面鉋《かくめんかんな》の台に使うネジやナットまで火造りして作ってしまう、いわゆる機械鍛冶と呼ばれた部類の技術者です。

助國《すけくに》とともに製品の成形精度が抜群に高いゆえに、向待《むこうまち》ノミや溝道具など、主に建具屋道具製作を得意としていました。もちろん大工が使うノミ、鉋も高精度に作っていました。

大工は是秀に作ってもらったノミ一組を持ち、國秀を訪ねます。そして事情を話すと「作ってあげたいのだけれど、もう年も取ってしまったので口金、カツラはやめちゃったんですよ」と断られてしまいます。

簡単な冠状の金物なのですから、年を取ったって、というか、年を取った者に向いている仕事ではないかと思われるかもしれません。

でも火造って作るわけですし、組ノミの一本一本に径寸法を合わせねばなりません。機械で削り出すような作り方をするのであれば

38 **機械作里**—罫引刃二本と底取刃一本が鉋台にスゲこまれ、平行定規も付帯した複雑な木工具で、主に幅の狭い溝加工をするための作里鉋。明治期に考案されて爆発的に売れる。機構が複雑なために高精度に調整するのが難しいが、一丁で溝加工をしえてしまうために便利。また平行定規の可動はネジ機構によってなされ、そのネジ部などの金物も機械鍛冶が火造って製作した。切削刃三本にネジ可動部を有するありさまゆえ、機械作里と命名された。

まだしも、やはり手がかかる仕事です。しかも単価は驚くほど安いのです。断って当たり前でしょう。受けたら國秀が生活出来なくなってしまいます。

大工はやはり「無理か」と思いしょんぼり帰ろうとします。その時、國秀は大工が持つ包みに目を止めます。「もうしわけないが、せっかく来られたんだからノミを見せてもらえますか」と声をかけます。

大工は「それもそうだ」と包みを國秀に渡します。包みを広げた國秀の視線は組ノミに釘付けとなります。もちろん國秀は千代鶴是秀のことも知っていたでしょうし、その名工の作ったノミや鉋を見たことがなかったわけではないでしょう。いわば競うように同時代の卓越者同士として意識し合っていたのですから。

しかし、未使用品のものを組ノミとして目の前にすると、さすがに石堂とともに二大名工として知られるだけのことはある圧倒的な出来です。一本一本手に取り、時間をかけて是秀のノミを検証していった老鍛冶は、見終わると「この組ノミの口金とカツラ、私に作らせてください」と大工に言ったのです。

大工は当然大喜びしたのですが、年老いた國秀は、なぜ損を承知で、もう口金・カツラ製作は請け合わないと決めていたにもかかわらず承諾したのでしょう？　ノミが名工千代鶴是秀が作ったものだから。もちろんそうなのですが、ノミの作者自身が断った口金・カツラ製作を請け合う義理はないはずです。その出来の良さに驚いたからにしても、その積極的製作意欲はどこから湧いて来たのでしょう？

PEAR

國秀はノミの出来の良さに、ただ平伏し、観念したように、前言をひるがえしたわけではないはずです。間違いなく、このノミに見合う口金とカツラを作れる鍛冶屋は自分しかいないとの思いがあったはずです。

あるいは、ノミ製作者が口金・カツラを自作するよりも、口金・カツラを高精度に作ってみせるとの野心的意欲があったはずなのです。

なぜなら、その方向でしかノミの出来の良さに技術屋として対峙《たいじ》し得る方法を持ち合わせていなかったからです。是秀、國秀が互いに相手の技術に尊敬の念を持ちつつ、競い合う磁場が保たれるのです。

國秀の作った口金・カツラにその製作者名など刻印しません。ノミ柄がスゲられたノミを見た者は、単なる是秀の傑作ノミと判断するでしょう。しかし、実は高度な技術の拮抗《きっこう》の元にそれが成立し、やっと実用域にたどりつくのです。それを少なくとも是秀・國秀・大工の三名は深く認識しているはずです。

「あの鍛冶は上手」というクローズアップ効果は、間違いなく道具技術・道具文化の豊かさを貧弱なものとする影の効力を伴ってしまうのです。むしろ全体が薄暗いままの状態の方が良かったのではないかと思わせもする恐さがあります。

甲野　しかし、その大工も口金に少なからぬ金額を払う気持ちは十分あったのでしょうが、その願いがなかなか聞き入れられないというところが興味深いですね。千代鶴翁にしても、機械鍛冶の國秀という鍛治職人にしても、口金やカツラなどの付属部品は、それを入念に作ったにしても「高い手間賃はどうしても受け取れない」という職人としての頑《かたく》なまでの信条のようなものがあったのでしょうね。

ノミや鉋などの主役の刃物は、通常の何倍、いや、千代鶴作などは十倍二十倍以上の値が付くこともあったようですが、そのことは了解しても、まあ千代鶴翁の場合は、そうでなければ生活していけなかったでしょうが、付属品は作るとなったら手は抜けないが、だからといって高い手間賃はもらえないので断った、ということなのですね。

ただ、千代鶴作のノミを見た國秀は「これに見合う口金やカツラは、ぜひ自分が作りたい」と千代鶴作に劣らぬものを作ってみせようという製作意欲を刺激され、この大工の依頼を引き受けることになったわけですが、最初は依頼者の大工が懇願し、通常の口金などの何倍の代金を払うつもりがあっても、それを引き受けないということは、現代人にはちょっと理解し難いところですね。

おそらく、この國秀という職人は出来上がった口金やカツラの出来に満足した大工が過分な代金を渡そうとしても受け取らなかったでしょうね。まあ多少、多めなら受け取ったかもしれませんし、大工も気を利かせて代金と一緒に酒などを持って行けば、それは受け取ってもらえたような気もしますが、通常の口金やカツラの何倍もの代金は受け取らなかったでしょうね。ただ、今回土田さんからいろいろと職人のエピソードを伺って、そうした職人の矜持が、その職人を職人たらしめていたということが理解出来てきた気がします。その辺りが分からないと千代鶴翁を始めとする当時の一流職人のプロ意識というものは分からないということでしょうね。

職人の「老い」

土田　野村さんが戦後少し経ってから、当方の物干場を作ったことがあります。戦後バラックを改造しただけの家に、物干場を設置するだけなのですから、あまり上等な仕事とは言えません。もちろん予算はたかが知れています。

野村さんは、どのような現場であろうと、その予算・工期の中で、ちょっと他人には真似出来ない、より良い仕事をする方でしたので、寺社などの堂宮や数寄屋が高級で、物干場が下級などとは考えなかったようです。

予算内の材木で、それをとても上手に配しています。湿気が滞りそうな部分に、木の腐りにくい部分を持ってきて、ヌキ穴[39]も劣化しにくい工夫がしてあります。

39　ヌキ穴―木組みをする際、抜き通す穴に木製角棒を叩き込み、木組みを頑強に固定する。抜き通す穴をヌキ穴、木製角棒をヌキ、もしくはセンと言う。

その精度は低予算なのに、ここまで出来るのかといった感じであり、低予算ゆえに節の多い材も場所によっては使われています。

この何でもない物干場が、当方がマンション化するまで保ちました。お隣と裏の地主さんの家も同時期に違う人に頼んで物干場を作ったそうなのですが、マンション化するまでに二代目、三代目と作り直しています。技術の差の結果と言えます。

そんな野村さんが当方の物干場を作っている時、「ちょいと木取りしたいのだが、尺より大きな鋸を貸してくれないか」と父に言ったそうです。低予算でも何とか良いものにしようと、下等材をやり[40]くり製材して仕事したのだろうと思います。

土田は、自らが手に入れた収集品の中で最も気に入った、そして是秀からも褒められた、十五代久作の片刃鋸《かたばのこ》を貸します。もちろん板直しも目立もし、整備したものです。

その鋸を使った野村評は「いや、喰いつきいいね。気持ち良かった」というものであったそうです。「大工なんて仕事は、ああ、今日は気持ち良く仕事が出来たなんて思える日は、一年間で一、二度あるかないかだよ」と悪態を吐《つ》く職人にしては、最大の褒め言葉であったのだろうと思います。

40　やりくり製材—あまり良質ではない木を、その木取りによって、なんとか理想に近づけた材木にしていくこと。良材を使うより、手がかかるが、材木代は安くつく。

甲野　この野村棟梁といえども、晩年は技術の衰えを自覚され、研ぎなども「今の俺のを真似してはダメだ」と言われたとか。
　加齢による衰えはどの世界でも起こることですが、職人として卓抜した腕を持ちながら、自らの衰えを自覚し、すっぱりと引退した方ということで、印象に残っているのは、以前伺った、クセモノ台屋の相上行近《あいがみゆきちか》という方の引き際ですね。この方の飛び抜けた技術のお話にも舌を巻きましたが、その引き際も見事でしたね。

土田　相上行近の大工道具業界に及ぼした影響は計り知れないものです。まさに天才と言える職人の事績をいちいち語り始めたら、キリがありませんから、他の書籍に譲りますが、才気縦横という言葉のぴったりな名人でした。

　クセモノ台屋とは、平鉋《ひらがんな》以外のもの、たとえば角面鉋、複雑な面型の面鉋《めんかんな》、あらゆる溝幅の溝をこなす作里、溝鉋、機械作里など、いわゆる特殊鉋《がんな》を製作する職人のことを指します。高精度な工作が要請され、同時に多種多品目をこなさねばならないため、愚直に慣れだけを向上の糧《かて》としていたのでは務まりません。すなわち発想力があり、工夫、発明の才に恵まれていなければ、高精度なクセモノ鉋《がんな》は作り得ないのです。

　面幅がたった二ミリほどであるのに、ヒョウタン面《めん》[41]という出丸《でまる》と内丸《うちまる》を連結させたような複雑な面型を実現しようとすれば、鉋刃の研ぎも鉋台の台面も、その製作は困難を極めます。それを実用道具として職人が購入し得る価格内で作り上げてしまわねばなりません。
　ですから、行近の道具立ては伝統的な鉋の台屋のそれに留まらず、ノギス、マイクロメーター、自作のセンバン機、木取り加工用の機械や治具、そして何百丁あるのか数えきれないくらいの研磨砥石を完備していました。「伝統→名人→シンプル」なんて言葉とは対極の作業場の様相でした。

甲野　多くの職人は熟練していくほど、使う道具も「この作業には、この道具で十分事足りる」などと選別され、無駄のない「シンプル」な作業場になっていくのでしょうか？

土田　たとえば千代鶴是秀の鍛冶場などは、スプリングハンマーはもちろん、グラインダーもなく、江戸時代とほとんど変わらないシンプルさでした。ある技術に秀でて、その技術が精練されるほど道具は簡素になってきます。
　しかし行近は多様の注文にも即応することを目指していました。その結果、おびただしい種類の道具を持つことになり、それらをす

41　ヒョウタン面

立体図

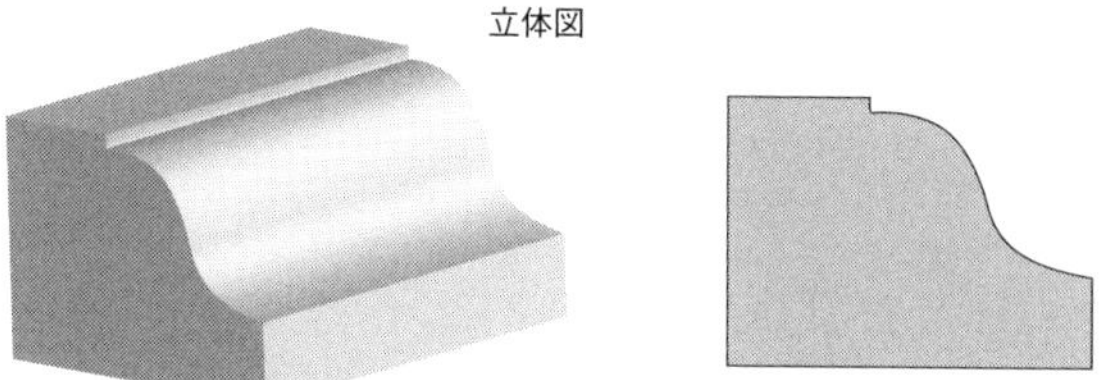

断面図
※網掛け部が木材。

上図のような加工が出来る
鉋をヒョウタン面鉋と言う。

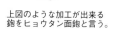

べて操り尽くすのです。

そして誰にも真似出来ない製作精度と速度を獲得します。五軒の特約店が買いとりきれないほどの数を作り上げてしまうのですから驚異的です。木工手道具がどんどん売れる時代ですから、鍛冶屋も台屋も、二軒、三軒の道具屋のものをこなすことが限界であったはずです。

ものによっては御抱え状態で一軒の道具屋のためのものをこなすことが精一杯であった職人だってたくさんいました。しかも行近の特約店五軒とは、東京を代表する道具屋で、ほとんどが売り上げがとても大きな店です。

それほどの才と技術を併せ持ち、また世間に広く知られた名人ともなれば、少しは気軽に過ごせばいいものを、朝から晩まで毎日真面目に働き続けるのです。それこそ機械のごとくです。いや、それが彼の職人道徳であったのでしょう。

この名人は私がちょうど父の元で仕事を始めた頃、お辞めになったのですが、その当時、機械作里もヒョウタン面やギンナン面《めん》も鉋としてはまったく売れない状態でした。溝切機、ルーター、トリマーなんて電動工具が普及してきて、主要道具化していたからです。調整せずに早く加工出来ますからね。

ただ、行近のものはまだまだ需要があったんです。機械類の加工にはない精度を保っていましたし、何より機械刃の既製面型ではないものを要求されれば、行近か戸田安男《とだやすお》というクセモノ台屋に頼らざるを得なかったのです。

そして行近本人もいたって元気でした。私が会ったご老人方は、「腰が痛《いて》え」だ、「膝が痛え」

だ、「目が見えねえんだ」と言いつつ、作業させると、目がパッチリ、機敏な動作というパターンの人が多く、それが職人らしさにも感じられたのであります。

行近は真逆でした。品行方正に暮らし続けたゆえか、年齢からすると二まわりくらいは若く見え、シワもシミもゼイ肉も姿勢のくずれもなく、武骨ではあるもののきれいな手をしていました。元々色白な方であったのかもしれません。飲む・打つ・買うなどという世界とはまったく無縁で、「飲む・打つ・買う」の職人たちにすら「あいつは頭がいい」「別格」と評されていました。

交友には消極的で、得意先に仕事を納めに行っても、販売店と話し込むでもなく、さっさと帰宅。とにかく仕事だけに没頭し、抑揚などないかのごとくな生活をしていたと言えます。ですから仕事を続けても良かったのです。身体は万全ですし、注文はくるのですから。

しかし、行近本人の言によれば、ある日仕事をしていて、機械が恐く感じたのだそうです。それで廃業をしたそうです。

甲野　行近さんは、昔気質《むかしかたぎ》の職人と違って、機械を嫌厭《けんえん》せず、積極的に取り入れられていたのですよね。

土田　そうですね。行近の仕事場には、大正の終わり頃に独立する際、設備したスウェーデン製のグラインダー（センバンに改造）、米国製のボール盤等々、機械類があって、それらは大正期に鉋の台屋が使うものとしては、見合わないぐらいの高級品であったわけですが、行近は設備投資はケチらず、それらを本当に上手に使いこなしていました。

そして、職人話によくあるような怪我《けが》自慢的な逸話がまるでない人でした。昇降盤を使う際も絶対に怪我などしようもない送り治具を自作してしまい、誰が使っても危険ゼロの方策を取ります。ですから一見、名人芸的動作ではないのです。安心して見ていられる、見方によっては面白くも何ともない動きです。その動作だけを見学しても、ドキリともワクワクもしないわけです。ただし、出来上がったものがワクワクドキドキなわけです。

そんな仕事をする人が「機械が恐くなった」と言うのです。完全に安全方策を取って使っているものが、怪我したわけでも使用能力としての体力がなくなってしまったわけでもないのに、単純に「恐い」と感じたわけです。

甲野　いや、それは凄い身体感覚ですよ。

土田　そうですよね。大工道具の業界でも、そしてもちろん使用者たちからも、惜しむ声はありました。誰もがまだまだ有用技術者として認識していましたし、その健康状態も万全に思えたわけですから。ただ誰もが惜しみつつ、この名人クセモノ台屋の決定に対し、声を上げませんでした。

なぜなら行近の決定であれば、それは正解であり、間違いが含まれようもない決定であるからなのです。つまり「あの人がそう言うのであれば、その通りなのだろう」と諦めるしかないのです。

そう思わせるほど、大工道具業界は行近の技術と頭脳に多くを助けられ、その道徳にひれ伏す他ない存在として認識していたはずです。

もちろん、行近も自分の衰えを感じた部分もあったはずです。いくら健康そうに見えてもね。ただ、恐くなった意識には、行近が行近の一生を振り返ってみるような感覚があったのでは、と私は思います。

安全整備をして何十年も怪我なく仕事してきた道程は間違いではなかったはずですが、安全に制御しているそれらはやはり機械ですので、動力による高速回転をしています。大正時代より何ら変わりなく、それが不思議に思えたのではないでしょうか。パートナーたるものだけが、ほぼ不変なのですから。いくら品行方正に暮らしていても、人間は変化劣化しているのですから。

このギャップが「お前って実は恐いヤツだったんだな」という行近の相棒に対する発見的評価につながったんだと思います。そしてどちらも傷つかない段階で「パートナー関係を解消しましょう。ではお元気で、いつまでも君のことは忘れないし感謝しているよ。あっ、君の行き先は心配しないで。俺が死んじゃっても大事に扱ってくれる所をちゃんと考えてあるから」ってな具合に行近は考えたのだと思います。

実際に、行近が愛用した機械類、治具の多くは土田一郎へ。木ネジ角面鉋という傑作木工具を製作するための治具・工具類一式は同業名人、戸田安男へ水平《すいへい》屋商店を通して受け渡されるのです。最後まで清廉であり誠実なカッケー人であったわけです。

甲野先生も武術の道へ入られて、もう長いとは思いますが、引退を考えられたことはありますか？

甲野　それは先ほども言いましたが、武術の探究は私にとって習い性ですからね。身体が動く限り引退ということはないと思います。

また、引退がない理由として、武術は「人や環境にどう対応するか」ということですから、生きている限り現役を続行せざるを得ませんね。

それに私は武術の道に入ったのが遅かったですし、この道を専門とすることを決心して独立したのも三十歳の直前で、しかも今から考えると「よくまあ、あんな未熟さで専門家として独立したものだ」と思うほど未熟な状態でしたから、伸び代があり過ぎるほどあったんですね。

ですから、確かに体力は二十代が一番あったと思いますが、技が利くという技術のレベルに関しては、三十代の武術を専門とし始めた頃よりは、四十代から五十代、そして五十代よりは六十代という具合に上がってきています。

ですから、実際に誰かと手を合わせてみると、現在が一番技が利くと思います。もちろん先のことは分かりませんが、まだしばらくは「今が一番技が利きます」と言っていると思います。

まあ、ですから身体が動かなくならない限り、引退ということはないと思います。

もっとも古人の例を見れば引退はあります。武術は元々「人と人との命のやり取り」という業の深い世界ですから、そのことにすっかり嫌気がさして出家して武術を捨てるということもありましたが、出家しても技は身に付いていますから、何かのキッカケで、また武術家に戻った例も少なくありません。それは、武術は人間が生きようとする本能に直結したことであるため、職人の仕事やスポーツ芸能とは根本的に違っているからかもしれません。

　もっとも職人の仕事にしても、何かどうにも切羽詰まった事情から「やらざるを得ない」ということで、再び往年の技を発揮するということもないわけではないと思います。人生というのは時に思いがけないことが起こりますからね。


土田　千代鶴是秀は、晩年ある歌舞伎役者に頼まれて、引き出物としての切出小刀をまとめて五十本作っています。しかも期間はたった一週間。断るに断れない仕事であったようです。一点作るために何日もかけていた人が、いわば数物仕事をしなければならないんです。

　まず困ったのが鋼です。是秀が気に入って在庫していたものでは足りないんです。そこで、当時売られていた鋼を何種類も買い、試してみて、その中で「まあいいだろう」という国産の白紙《しろがみ》二号という日立《ひたち》の鋼を選択して、八十歳近いおじいさんが、機械設備もなく、すべて砥石で研ぎ上げて、間に合わせてしまいます。

　小ぶりな切出小刀であったようですが、一日七丁ほどを完成させねばならない計算ですので大変です。一週間、徹夜です。是秀が一生のうちでおそらく最も無理をしてこなした仕事でしょう。

　父は、日々消耗してゆく是秀を見かねて「先生、研ぎだけでも私が手伝いましょうか」と申し出たそうです。すると是秀は落ちくぼんだ目を向けて「土田君、ありがとう。でもそれでは私がした仕事ではなくなってしまいますから」と言って、仕事を続けたそうです。

そして無事納品された頃、土田が訪ねると、「心配かけてすみませんでした」と一丁の切出小刀をくれたそうです。五十丁作ったものと同型の小ぶりなものです。普通に考えれば予備に多く作ったもの、納品されたものの余りです。しかし、違ったようです。

「土田君、これ一本は五十本作ったものとは鋼が違うからね」。つまり、数をまとめるために少々気に入らない鋼を使い、何とか義理は果たしておいて、そこで「私の理想の刃物作りは……」を主張したのだと思います。

それから是秀は体調を崩し、寝込んでしまったそうです。命をかけて、と言ってもいい行為だと思います。本当は高齢を理由に断ってしまっても不義理には当たらないはずです。

では、なぜ承諾してしまったのか。それは自らが切り拓いた道、すなわち刃物を使って仕事をする職人ではない人種に対してまで、魅力的な刃物を提示するために、実用度などはやや犠牲にし、その上、体力の限界まで消耗しつつも、美しいと思わせる製作品を自らの責任として「作らざるを得ない」と悟ったからこそ、この仕事を完結したのでしょう。

甲野　このお話も、確か以前、ご著書で読んだことがあったように思いますが、あらためて今、千代鶴翁の鍛冶場の設備やら年齢やらを考えてみると「本当に大変な思いをされていたんだな」と思いますし、「研ぎだけでも」とお父様が手伝いを申し出られても千代鶴翁が断られたということは、千代鶴翁は鍛冶職人というより書家のような感覚も持たれていたような気がしますね。

鍛治職人なら弟子が手伝ったり、代わりに作ることは割合と普通に行われていたことで、それなりの技術を持った者が手伝っても別に依頼者を裏切る行為ではなかったかと思いますから。

それに短期間でかつてないほどの量を作るのですから、依頼者だって千代鶴翁に大変な負担をかけてまで、すべて千代鶴作にしてほしいとは思わないと思います。

ですが、「書」となれば、本人以外の代筆は完全に「偽物」ですからね。まあ注文主が素人で、素人なだけに切味、使い勝手の良さよりも『千代鶴是秀作』ということが重要なのだろう」と感じられていたのでしょうね。そのため、千代鶴翁も自然と「その『思い』に応えなければ」と思われたのだと思いますが、本当に誠実な方だったのですね。

これからの職人の生き方

甲野　しかし、ここまで時代が急速に変化してきた中で、これからの時代の木工具の製造や、使い方に関わる職人の在り方がどうあるべきか、そのことについては本気で考えなければならないと思います。

今、ＡＩは日進月歩ですし、３Ｄプリンタという昔は想像もつかなった機械も発明されて、これからの時代、物作りに携わる職人の生き方も変わっていかざるを得ないと思いますが、この点については、どうお考えですか。

土田　そうですね。千代鶴是秀の趣味は古道具集めでした。木工具で古くて優れたものを手に入れては過去の技術、過去の名工について調査し、自作品に生かしていたのだと思います。

　そして、検証の済んだものは、道具好きな人にあげてしまいます。ノミ、鉋を作っているのですから、いくら古い時代の名品でも、ノミ、鉋をひたすら抱え込んでゆくというのも不合理ですし、学び取るべきことを学び、自らの作品に生かせれば、検証対象はヌケガラに過ぎません。ただし、玉鋼の片刃鋸だけは純粋に収集対象にしていました。名品を七十枚ほど大事に保存していました。

　なぜでしょう。自らが作り出せないものであるから……それも理由の一つです。

　ただ、是秀が鋸を収集していた時代は、鋸の素材が玉鋼から洋鋼に転換し、片刃鋸が廃れ、両刃鋸《りょうばのこぎり》が広く使われてゆくようになる時代と一致します。

　私には、千代鶴是秀は、新しいものがその便利さを誇り、前時代のものが顧みられなくなる現象に対し、密やかに抗議するような行為にも思えます。

　木工道具鍛冶の名工・千代鶴是秀が、自らの専門分野とは違った木工具を集めていたことはあまり知られていないのでしょうけれど、知られていない程度になすことこそ、意味を持つ場合もあるのです。

　是秀の鋸コレクションの何割かは土田一郎に受け渡され、土田は是秀没後も、その古物収集を継続し、土田に通うもの好きが、その真似をして、是秀も土田も発見出来なかったような名品を探し出して来たりもするのですから。

玉鋼の片刃鋸はおろか、ほとんどの手打ちの鋸が不用品化している時代に、何たる逸脱でしょう。

しかし、おそらく不用品化が極まったからこそ、鋸はあらゆるものがゴミ箱行きといった状況であり、その中に名品たるものも紛れているのかもしれません。

つまり、今がチャンスとも言えます。両刃鋸が普及し、鋸素材が玉鋼ではなくなってゆく時期以上に、つまり是秀が鋸の収集を始めた頃以上に良質な鋸を手に入れやすくなっているとも言えます。

もちろん、質の上下を見極める目がなければ、良いものは集まりませんが。人間はいい加減なようで、見慣れてくると、鋸のようにシルエットとしては一様に思えるようなものでも、良否を判断出来るようになっちゃうんですね。「片刃でおおらかなアゴ[42]をしていて、背の曲線と首内の曲線が協和するようなものを探してごらんなさい」なんて抽象的アドバイスで、本当に名品たるものをリサイクルショップなり、燃えないゴミの日のゴミの中から拾ってきたりするのですから。「片刃でおおらかなアゴ……」は、是秀の鋸コレクシ

42 **アゴ**—人間のアゴに似ているので鋸のこの部分をアゴと言う。

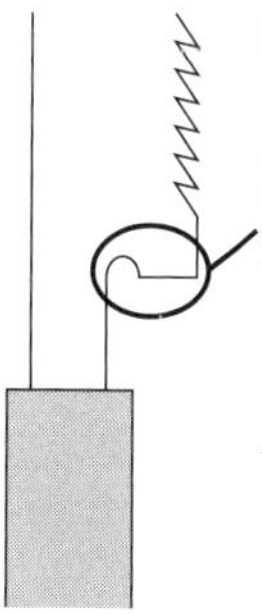

ョンの特徴的共通項でもあるのですよ。

甲野　「片刃でおおらかなアゴ、背の曲線と首内の曲線が協和するようなもの」ですか、この本を読まれた方の中から鋸の名品を掘り出す方が現れるかもしれませんね。

第三章

本当の名刀とは

甲野　さて、ここで刀のことをちょっと話させてください。

戦時中、鍛冶屋なら野鍛冶までが軍刀を作っていたということですが、千代鶴是秀翁は軍刀は一切作らなかったようですね。

その理由として、「本当の名刀というのは一度も使われずに、それだけで世の中が治まってしまうものなのです」ということを土田さんのお父様に伝えられ、当時の戦争用の軍刀を作るということには一切手を貸すつもりはなかったということでしたが、この千代鶴翁の考え方は、鉋などの使われるための道具であったにもかかわらず、凝った銘を刻んだり、雅味《がみ》のある槌目を残したり、その道具を桐箱《きりばこ》に入れたりということと無関係ではないような気がするのです。

つまり、あのように道具を工芸品とする行為の背景には、元々刀鍛冶の家に生まれ、刀作りにも並み以上の腕を持っていたと言われている千代鶴翁の刀鍛冶という出自が影響していたと思うのです。

土田　おっしゃる通りであると思います。大工道具は元々実用道具であり、生まれてほどなく使われ始め、そしてただただ消滅に向かいます。

甲野　消耗品ということですよね。

土田　ええ。手をかけた上等なものでも、量産品でも同じなのです。ちょっと哀れな感じがします。もう先（寿命）が永くはない鋸、ノミ、鉋を見ますと、その哀れさはひとしおです。

減った鋸は身幅が狭くなっているんですから曲線挽《び》きに使われたり、鉋台を作る際のオサエ挽《び》き[43]に改造されたりします。

減ったノミは……う〜ん使いどころがないかな。アリ溝の突止めノミか、石口[44]を合わせるノミに転用するくらいですか。

減った鉋は幅を詰めて立刃《たてば》にスゲかえて台直し鉋に転用するのが決められた運命です。

つまり、主要な工作から手を引き、付随作業、雑用の道具と化し

43　**オサエ挽き**―鉋刃を樫材の台に収まるようスゲる際、鉋刃の両側辺が入る溝加工をする。その溝部をオサエ溝と称し、オサエ溝を工作するために身幅の狭い鋸を必要とする。その鋸はオサエ挽鋸として鋸鍛冶に作ってもらうこともあるが、使い減りした鋸を転用する場合もある。

44　**石口**―堂宮・数奇屋建築において、礎石上に柱を立てる場合、その礎石の凸凹を、柱木口にトレースした加工を施し、ぴったり接合する。その柱木口を石口と言う。

てゆき、ついには鋼がつきておしまいです。

甲野　道具としての最期を迎えるんですね。

土田　はい。職人の仕事を成立させ、職人の誇りの中心であったはずのものが、「何と哀れな」って感じです。

でもそれが正常です。おかみさんからお手伝いさんに転落してゆく道具の一生などと表現してしまったら、「女性蔑視」なんて言われることは避けられないかもしれませんが、口の悪い昔の職人はそんな表現も使っていました。では、「新たに買いそろえる鋸、ノミ、鉋は、若い恋人か」ということになりますが、これ以上はやめましょう。本当に暗殺されるのはイヤですから。

甲野　ハハハッ。いや、笑いごとではありませんね。

土田　とにかく消耗品であり、永続性とは無縁です。対して刀も本来は武器という実用品であったはずです。戦があれば使われ、そうなれば大工道具よりずっと消耗の激しい道具であったはずです。

そして、より多く持ち、より性能が優れたものを所有している方が勝ちを収め、戦後の治世を支配し、コントロールするのですから、おのずとその道具は重要視され、神聖視され、象徴とも化し、実用の意味とは違った価値をもまとうことにもなります。

でも、そうなってさえ、刀が実用品であることの根は残っているはずです。つまり消耗品でもあるということをどこかに隠しつつ、神聖なものとして大事にされるのです。

「大事な戦であるから」と重代の名刀を腰に差し……なんて光景は実用と象徴を、その刀に同時に担わせるからサマになるのでしょう。

甲野　「伝家の宝刀を抜く」という表現がそれですよね。

土田　はい。治世の象徴と化していた名刀を緊急時ゆえに実用にひきずり降ろす。そして本当に実用してしまえば、ひと戦で使い物にならなくなりますから、その名刀ぶりもクソもなくなります。つまり「哀れ」です。

甲野　そういえば、足利《あしかが》幕府の十三代将軍・足利義輝《よしてる》は、家臣・松永久秀《まつながひさひで》の裏切りに遭い、館に攻め込まれますが、将軍ほどの身分としては歴史上最も剣が使えたと言われる義輝は、自分の周囲の床に何振りもの名刀を突き刺し、それで群がる敵を切り捨て、刀が傷んでくると次々と周囲に刺してあった刀を抜き取って、それで奮戦したということですから、この時、有名な名刀が何振りも凄《すさ》まじい状態になったと思います。

土田　義輝を裏切った久秀だって、最後には信長にせめられて、信長が欲しがっていた名物茶ガマとともに自爆死するんですからね。

そのような戦によって本物の治世が完成するのかと言えば、あやしいところですから、大事に守って来た名刀は、いわば無駄死にかもしれません。

しかし、たとえ無駄であったとしても、日本人は「殉ずる」ことに一つの美を見出《みいだ》しちゃったりしますので、複雑なのですが、つまり哀れをも美と化そうとするのです。

ただし、日本の名刀とは、そのシステムをくぐりぬけつつ基本的に使われずに健全に残った稀《け》有《う》なものなのです。その緊急時に使われずに済んで残ってきたことに、為政者もそうでない者も本物の治世の成就を重ね合わせるのです。

ですから、かなり無謀な戦争をして、その戦意の土台たるものとして、スプリング鋼材をただ打《ぶ》ち伸《の》ばしただけの軍刀をバカバカ作ってゆくことに、是秀は皮肉混じりの真理を吐いたわけです。「そんなものは美じゃない」と。哀れに消耗するものであるからこそ、いや、消耗すると分かっていてさえ、きちんと作ったものでなければ美じゃないと。

甲野　千代鶴是秀翁は自ら事を荒立てるようなことは、およそ口にされない人物だったようですが、自分の納得のいかないことは決してされなかったようですから、刀の鍛造依頼もきっとあったでしょうが、されなかったんですね。

それどころか、周囲の人間が考えれば「願ってもない」と思えるようなことであっても、自分の生き方にそぐわないと思えることは、決して受け入れようとはされなかったようですね。

たとえば『職人の近代』の中で紹介されていましたが、千代鶴翁に好意を持つ、社会的地位も財力もある人々からの「あなたの好きなものを自由に作ってもらえればいいのです。生活の援助は、こちらでしますから」という申し出には、恐縮しつつも、峻拒《しゅんきょ》されてますよね。

あくまでも一人の職人として自分が納得出来る暮らし方・生き方をしようというところが、千代鶴翁の真骨頂なのでしょうね。

土田 是秀が最も信頼していた問屋・湧井《わくい》商店に収めた鉋に「釋《しゃく》尊《そん》」という銘のものがあります。[45]名品書出帳に記録されていますから、手をかけて作ったものなのでしょう。

その記録を書き出しますと、「釋尊。正巾二寸五分、釋尊の誕生日と同月同日この鉋生れ出たり。此後《このの》ち幾年月を人の小家造る木の前に頭を打たれ、刃は日に日に研ぎ縮められ、苦業のほど思やらぬと、嗚呼《ああ》罪深きことかな、そしてついに残滓《ざんし》としおしゃかに。南無阿弥《なむあみ》陀仏《だぶつ》〜　大正十四年四月七日、老小僧月心　五十六才　湧井精一《せいいち》殿

45 **名品書出帳**―是秀が記帳した帳面。帳面名は仮の名前として土田氏が名付けたもの。

へ」。

何か少しユーモアを混じえて書かれていますが、要するに実用道具は摩滅、消耗はまぬがれぬものであると考えていて、それにゴータマ・シッダルタというビッグネームを刻んでしまうことで、その哀れを美化し、尊いものとしているのです。

確かにすべての道具は使いきられ、おしゃかになるのですから、考えられた銘ですね。少なくともおかみさんとお手伝いさんの譬《たと》えよりは高級な気がします。

甲野　その辺りの諧謔《かいぎゃく》は、普通の職人にはない教養があった、千代鶴翁ならではですね。

職人の仁義

甲野　こうしたお話を伺うと、千代鶴是秀という人物が単なる職人ではなく、日本の伝統的思想の深いところを体感で受け継いできた職人であったことが分かりますね。

今回の対談では「千代鶴是秀」という名工と、この名工を取り巻くお話をいろいろとお伺いしたいと思っていたわけですが、職人という人々は、それぞれ自分の生き方の流儀というか矜持というか、自らが仕事と向き合うのに、それぞれが独特の価値観や生き方を持たれていますよね。

土田　そうですね。

甲野　そうした人々の中で、もちろん「千代鶴是秀」という名人を知って、直接師事した落合宇一という方もありますが、直接会うことはなくても、そのエピソードや、その遺された作品を見て感動し、「これほどのものが出来るのか」と、自らの手本、目標とされた職人は何人も存在したと思うのです。

　たとえば『千代鶴是秀写真集②』の中に載っておりましたが、「市弘《いちひろ》」銘のノミを鍛っていた[46]山崎《やまざき》勇・正三《しょうぞう》父子《おやこ》は、一度も直接指導を受けたことがない千代鶴翁を師匠として、他の人に語る時にも、ノミの仕上げに関しての話だと思うのですが、「師匠の肩際のヤスリ目は」などと熱い口調で語られていたようですし、今回何度もお話に出ている長谷川幸三郎氏のように、千代鶴翁を目標にした方々も当然いるわけですよね。

　しかし、中には卓抜した鍛冶の腕を持ち、実際切味も良く、耐久性もあるノミなどを鍛え上げながら、その成形は無造作で「まあ使えるんだから、これでいいじゃないの」という姿勢で仕事をされて

46　山崎勇・正三―山崎父子は、戦前戦後の昭和期にノミ鍛冶として東京で仕事をした工人。明治以降、首都の実用ノミ鍛冶の中心的存在であった清弘系ノミ鍛冶の系列に属すも、山崎勇は五反田テンマイ屋に陳列された千代鶴是秀作「神嶺」銘六分シノギ大突ノミを目にしてから、一般実用ノミの域を超えた高精度成形ノミ製作をめざすようになる。その精進は息子正三に受け継がれ、平成期にかけて最も精密なノミを作っていた技術者と言える。

いたという「清忠《きよただ》」銘のノミなどを鍛たれていた嶋村幸三郎という方も大変気になる職人ですね。

特に土田さんのお父様が、何とか、よりいいものを作ってほしいと、まだ若かった嶋村さんに晩年の千代鶴翁との面談の機会を作られた時、千代鶴翁が若い嶋村さんに対して鍛冶の専門的な技術の話は一切せず、お茶の話とか季節の花といった漠然とした、まるで鍛冶仕事を引退した者同士が話すような話ばかりされたというエピソードには感動しました。

この時、嶋村さんにしてみれば、鍛冶の世界の伝説的名人が自分のような若造にニコニコしながら職人話の通り相場である自分の作ったものの自慢などは一切せず、「俺が教えてやろう」などと先輩風を吹かせることもなく、丁寧に接してもらったことの理由は、よくわからなかったようですが、その、自然と薫ってくるような千代鶴翁の人柄は、深く記憶に残ったようですね。

そして、土田さんのお父様が嶋村幸三郎という若い鍛冶職人の印象を千代鶴翁に訊ねてみると、「土田君、ああいう鍛冶屋を大事にしなければいけませんよ。いい鍛冶屋ですよ。欲もなく、出しゃばらず正直で、話していて気持ちが良かった。あの人柄であれば仕事が下手であるはずがない」と感想を話されたということですよね。このエピソードは『千代鶴是秀写真集②』で拝読しましたが、千代鶴翁の人柄には本当に打たれました。

あのエピソードは千代鶴是秀という人物が本当に人を見る目があり、また粋な人だということを伝えていますね。千代鶴翁と職人の交流では江戸熊こと加藤熊次郎《かとうくまじろう》という名人大工とのエピソードなどが大変有名ですが、私が千代鶴翁のエピソード集を、もしまとめるならば、あの千代鶴翁と嶋村幸三郎氏の面談の話は必ず入れたいと思いますね。

このエピソードであらためて思い出しましたが、土田さんのお父様が初めて千代鶴翁に会われた時も千代鶴翁は、大変丁寧に挨拶をされたというお話がありますが、あのエピソードもまさに千代鶴翁のお人柄を感じさせるものですね。

この本の読者の方々のためにも、あの『千代鶴是秀写真集②』の中では書かれていない「嶋村幸三郎」という職人の横顔とお父様が初めて千代鶴翁にお会いした時の話をしていただけますか。

土田一郎、千代鶴是秀に出会う

土田　まずは是秀と父との出会いについてですが、昭和十四年、父が十二歳の時に初めて会っています。貧乏道具屋の息子ですから、小学生ながら家業も手伝わされるんです。

祖父の指示で自転車を使って、それこそ東京中の職人への使いに出されるんです。文京区の小《こ》石川音羽《いしかわおとわ》に店がありましたので、そこから下町の職人、都市中央部の問屋をめぐります。

そんな手伝いをしていると、当然職人との話の中に千代鶴是秀のことが話題に上ったり、また問屋のウインドウに「大名人、千代鶴是秀作」なんてプレート付きで鉋や切出小刀が飾られています。そして、どうも自分の家で販売しているノミや鉋とは別物であることに気付きます。何しろ単価が一、二桁違うんですから。

「どんな人がこれを作っているのだろう、会ってみたい」と少年は思ったわけです。でも手づるがありません。そこで麻布《あざぶ》中《なか》ノ橋《のはし》にいる石堂輝秀を訪ねます。千代鶴家と石堂家は同門鍛冶であることを知ったからです。

　輝秀は是秀と双璧とされた名工九代目石堂秀一の弟子です。訪ねると、輝秀は一所懸命軍刀を火造っていたそうです。時代ですね。父は「鉋は作らないんですか」と問うと、輝秀は研ぎ場に放り投げられている鉋刃を指します。いつ作ったものか分からないもので、荒砥やグラインダーのドレッサー[47]代わりに使われているようで、刃先は鋸状にバラついています。

　それを手に取りながめつつ「千代鶴是秀という鍛冶屋さんを訪ねてみたいのですが」と父が申すと、輝秀は「あんちゃん、御国《おくに》が大変な時に道具がどうだこうだなんて言っているのは非国民だぞ」などと冷やかしながら状差しから埃《ほこり》だらけの手紙を取り出し、それを腿《もも》の所で埃を払い、封筒の中身を取り出すと、その封筒をくれたのだそうです。是秀から輝秀への手紙であり、封筒には是秀の住所が書いてあり、それを頼りに訪ねることとなります。

　封筒をくれる時に輝秀は「あのじいさん、もう仕事はしていない

47　**ドレッサー**—使用中の砥石が目詰まりを起こし、研削能力が低下した時、砥面を荒らしつつ目詰まりを除去し、研削能力を回復させるための道具。

かもしれないよ」と言い添えたそうです。そして訪ねます。初めて訪ねた際は留守でした。十一月八日で鞴《ふいご》祭りであったそうです。

それからほどなく再訪します。是秀は六十歳半ばで、小学生が「道具の話を聞きたい」と訪ねて来たのですから、少し驚いたはずです。しかし、座敷に通すと、床の間を背にした主座に少年を座らせ、是秀はその対面に正座します。つまり正式な客として迎えてくれたのです。

そして少年が鋸の目立をしながら道具屋を営む家の子であることを知ると、「鋸鍛冶には東西にヘイジロウという名工がいます。東は浅草安倍川町《あべかわちょう》の中《なか》や平治郎、西は播州三木《ばんしゅうみき》の宮野《みやの》平次郎……」と語り始めたのだそうです。

少年はビックリしたそうです。何にビックリしたのかというと、ノミや鉋の名工と思っていた人が、鋸鍛冶について話し始め、その知識がとても豊かであったからです。普通、鍛冶屋は自分が作っているものに関しては当然詳しい知識を有していますが、他分野のことなど知らないのが当たり前であるからです。「鋸鍛冶でもないのに、何でそんなことそんなに知ってんの」って思ったわけです。

また、もう一つ是秀が是秀自身の仕事について、まったく語らなかったことも印象的であったそうです。普通名工などと呼ばれるようになると、どんなに控えめな職人でも、自慢めいたことの一つや二つは話すものです。

父はこの時、「ああ、この人はちょっと違う、この人についてゆこう」と思ったそうです。そして父の青春時代は、この名工との交流に埋め尽くされてしまうわけです。

甲野　いいお話ですね。しかし、初めて訪ねられた時が鞴祭りだったというお話は初めて知りました。鉄を赤く熱するために炎土《ほぞ》に風を送る装置である鞴は、鍛冶仕事には不可欠な道具ですからね。それで、その鞴に感謝する意味で、昔はその鞴祭りの日は鍛冶職は仕事をしなかったと聞いています。

そういえば今のお話を聞いて思い出したのですが、私が高校生の時、初めて尊敬出来る歴史上の人物としてハッキリと意識した幕末の剣客・山岡鉄舟《やまおかてっしゅう》は、明治に入ってからは明治天皇の侍従となり、子爵にも列せられて、その名声は鳴り響いていましたが、初対面の人と会う時は、相手が誰でも額を畳につけるほど丁重な挨拶をし、相手の身分や服装で門前払いをするようなことは決してしなかったそうです。

清忠問答

土田　さて、嶋村幸三郎についてですが、父が是秀に通いつめた如く、私は二人の幸三郎に育てられたようなものですので、この嶋村幸三郎さんについては、お話ししやすいのかもしれません。二人の幸三郎とは……。

甲野　新潟の玄能鍛冶・長谷川幸三郎さんと、東京のノミ鍛冶「清忠」こと嶋村幸三郎さんですね。

土田　そうです。紛らわしいので嶋村幸三郎は清忠と呼ぶこととしますが、この方は会ってみると、是秀が評したごとく本当に欲がなく、人が良く、名工などと呼ばれようとする野心の片鱗《へんりん》さえ見つからないような人でした。ただし、実は頭が良くてウイットに富んでいる。

ですから、名工ではない単なる鍛冶屋だなんて意識で接していると、時として目にも止まらぬ足払いで、こちらは受身が取れないような状態になる。

火造りが素早くとても上手な人で、切味が上々であるのに、形状にやや粗《そ》な所がある。もちろん現在の回転工具での成形しかし得ないノミ鍛冶よりも、セン[48]使いもヤスリ使いも上手なんですよ。でも切味上々なら形も上々でないと、形が上や中では釣り合いが取れないと感じてもしまう。よって、こちらはチャチャを入れる。父が清忠さんに是秀を訪ねるように薦めたのも、そんなチャチャの一つで

48　セン―焼鈍した製品を冷間成形する際に使用する、両手使いの取っ手のついた鉄を削る鉋刃様の切削具。

す。

でも、清忠さんは名工になろうなんて意志がないし、名工が偉いとも思ってもいないし、それ以上に自分が偉いとも思っていないのでタチが悪い。

甲野　ハハハッ、それはまったくそうでしょうね。それでは買収も何も利きませんよね。いやぁー、痛快ですね！

土田　ですから、こちらのチャチャも高度化してゆきます。頭悪いなりにね。たとえば「是秀は『神嶺《しんりょう》』という銘のシノギ大突ノミを六十日もかけて仕上げたんですよ」なんて話をするんですが、これも清忠のインテリジェンスの前では何の効果もないんです。

甲野　そんな話には全然驚かれないでしょう。

土田　そうなんですよ。清忠曰く「そんなにヤスリで擦っていたら、ノミがなくなっちゃうんじゃないの」「よっぽど切れないヤスリで仕上げたんだね」などなど。

実は、この清忠さんの指摘は鋭い。是秀は仕上げ成形に近づくにつれて目が細かいヤスリではなく、使い減りして利かなくなったヤスリを使うのです。

甲野　その使い減らしたヤスリというのは、先代から受け継いだようなヤスリでしょうかね。まあほとんど利かなくなったヤスリは、仕上げ砥石のようなものでしょうけれど、砥石で研ぐのと違って、ほとんど利かないヤスリでは、普通はやる気がなくなりますよね。しかし清忠さんの返しには笑ってしまいますね。

土田　要するに「俺、千代鶴でも石堂でもね〜し」をベースにしてしまっているのですから、こちらの負けです。

そこで道具屋の要求としてではなく、道具使用者の要望なのだからということを伝えると、これには反応するんです。さすがにプロです。道具は道具屋のために作るのではなく、道具使用者のために作るものですから。

甲野　なるほど。でもその辺もなかなか一筋縄ではいかない答えが返ってきたのでしょう。

土田　その通り！　清忠さんに「度が過ぎる」と疑われるのです。本当に使用者の要望であるのかどうかを。「大体こんな厚手のノミ、機械で荒加工した後、使うのに必要ではないでしょう。電動工具がなかった時代であるのならいざ知らず。これを注文した大工は電気が通ってない所に住んでるの」「何で土田さんの注文は、他の道具屋の仕様とは逆に逆に、ってなってゆくわけ。[49]コミの仕様、肩のたれ方、マチ径ことごとく逆。土田さんとこに来る客だけ日本人じゃないんじゃないの。何、戦前の名品ノミはそうだったって？　土田さんの所には、まだ戦前の大工が来るの？」という具合に。

甲野　ハハハッ、ああ笑いが止まらない。

土田　まあ、鮮やかに言い返されてしまうわけです。しかたなく、上手な職人さんを連れて行くこともずいぶんしました。この仕事、この仕口組手を加工するために、ぜひともこの形状のノミが必要であるということを主張するには、その使用者の口から言ってもらうことが有効ですから。清忠さんは使用者の主張をちゃんと聞きますし、理解力もありますから、きちんと注文を受けてくれます。

そして次に訪ねると「あの大工さんが上手で熱心なのはよく分かった。でも、いい家を建てるのに、あんなに手をかけたことをしてしまっては、なかなか儲けるってわけにはいかないね。土田さんだってここまでして『良いノミを』って行ったり来たりして、俺も普通のものより手のかかるものを作って、何だか誰も儲かってないみたいだね。いい家を建てたからって、次の代になりゃ使いにくいだ、煤《すす》けてきただって、簡単に建て直しちゃう世の中だよ。いい家もい

49　**コミ**—ノミにおいて柄に接合するための突起部分であり、刀で言うところの中子。

いノミも、本当に必要って言えるのかね」と、難しい謎かけのようなことを言います。

甲野　いやあ、鋭い人ですね。

土田　そんな知性というか達観を、この鍛冶屋はどこで手に入れたんだろうと思います。清忠、つまり嶋村幸三郎は戦争に行っています。もちろん召集されて兵隊に行ったのですが、内地勤務で広島で原爆にあっています。直接的には被爆したわけではありませんが、投下直後、兵隊として広島の街の後片付けのようなことをやらされたそうです。

その影響で、若い頃から夏になると疲れがひどく、身体が動かなくなるような症状が出ました。大抵鍛冶屋は真夏の盛りに少し長めに休みを取るものですが、清忠さんはその期間が結構長いのです。

兵隊で一緒に広島で働いた同期の中には、ずいぶん早く亡くなった者もいたし、清忠さんと同じような症状で、放射能の影響と診断されて、医療補助を受けていた者もあったそうです。でも清忠さんは兵隊同期の人や奥さんや息子に薦められてさえ、その診断を受けなかったとのことです。

結果的には長寿と言っていい、八十七歳（平成二十三年十月二日没）まで生きられたのですから、その症状があっても軽微ということであったのかもしれません。また、爆風で負った足の傷ゆえ、隊の中では焼け跡内での活動も健全な兵より軽減されたという話も聞きました。何が理由で診断を拒否し続けたのか分かりません。

ただ、兵役体験に関しては「あんなものに駆り出されて……」という表現を使っていました。「あんなもの」で負った傷を、「あんなもの」に補助してもらう気にはなれなかったのかもしれません。

それだけの個としての清潔さが清忠さんにはありました。製作品も同様でね。作った人も作ったものも決してえばらない。名工にも名品にもなろうとしない、無言の意志に満ちていました。その意志以外の部分では、まあよくしゃべるし、頭の回転も見事なんです。こちらはタジタジでした。

甲野　見事な方ですねぇ。「こういう職人としての『矜持の持ち方』もあるんだなあ」という感じですね。腕は飛びきりいいのに名声を欲しがらないって、本当に粋というか、ある種究極の「恰好《かっこう》いい人」ですよね。スポーツ選手でそういう選手が出たら本当に痛快ですけどね。たとえば、金メダルをもらって、すぐそれを観客の中の子どもにあげちゃったりして……。ある面では千代鶴翁も喰われてしまいますよね。

だからこそ、千代鶴翁はこの飛び抜けた恰好いい職人に対して、先輩顔、大家面して教えたりしなかったのでしょうね。そこがまた千代鶴是秀という人の凄いところですね。

今のお話を伺って、千代鶴是秀翁と嶋村幸三郎氏対面の場面は、私の中で千代鶴是秀エピソードの中でも最も印象に残る話となりました。

穴大工の玄能の柄

甲野　こうした職人それぞれの生き方に関連したエピソードの一つとして、先ほどお話に出た、穴大工が数百年にわたって守り、育ててきた特殊な伝統技術である穴大工用玄能の柄の作り方を、なぜ土田さんのお父様が知ることが出来るようになったのか、その経緯をあらためてお話ししていただけますか。

土田　そうですね。キッカケは昭和二十五年、父は下町の鉋鍛冶《かんなかじ》の所へ出来上がった鉋を受け取りに行った時です。浅草伝法院に出ている露店を、使いの途中で覗いてみると、大工道具を販売している店があることに気付きます。

　そして一枚の大鉋《おおがんな》に目を止めます。刃幅五寸三分の巨大なもので、銘は「初霜《はつしも》」です。明治四十四年、下谷竹町《したやたけちょう》の三輪善兵衛《みわぜんべえ》宅普請場棟梁の金子《かねこ》氏に千代鶴是秀が作った傑作です。是秀から話には聞いていたものの実物を見るのは初めてでした。

　この鉋が金子棟梁がすでに持っていた初代義廣《よしひろ》作五寸鉋《ごすんがんな》より切れたことから、是秀の道具鍛治としての名声は盤石なものとなってゆきます。つまり鉋製作における是秀の出世作です。

「何で、こんな所に売りに出されているのだろう」と思ったそうですが、もはや青年の頭はその名品を手に入れることでいっぱいです。その大鉋は大きな仕上げ砥石と共に店に並べられていました。つまり大鉋を研ぐためのもので、中山の名石です。

値段を聞くと、大鉋、砥石ともで五千円とのことです。そこで、「欲しい」とは思っていない砥石の方だけではいくらかと聞きます。すると「四千五百円」という答えです。では「大鉋は五百円で買えてしまうのかな」と思い聞いてみると、やはり「四千五百円」という答え。当たり前です。組で売ってこそのものを、バラして売るとなれば、単品価はそれなりに高価に設定するものです。

青年は鉋仕入れのためのお金を持っていましたが、四千円しか持っていませんでした。そこで交渉します。「五百円足りない分は、正月七草までにお支払いしますので、この大鉋を売っていただきたい」と。店主は驚いた顔をしていたようですが、売ってくれたそうです。この店主が、穴大工・穴菊《あなぎく》という名人であったのです。

穴大工は、その技術者集団が浅草、八丁堀《はっちょうぼり》、麻布と三派あって、浅草派は最も歴史が古く、最も上手と言われていた集団です。その最後の名人と言われたのが穴菊・穴林《あなりん》兄弟であったのです。つまり、名人穴大工から是秀が作った傑作大鉋を買ったこととなります。

さて、年が明けて七草の日ですが、店が忙しくて外出出来なかったそうです。それで一月八日に五百円を教えてもらった住所に届けに行きます。しかし、穴菊は「そんな約束をした覚えはない」と受け取らなかったそうです。

しかし父もせっかく名品を手に入れ、約束した借り分を支払わずでは気持ち良くありませんので、粘ります。すると、穴菊は「そんなに言うのであれば、お前の言い分に従おう。ウチも生活が楽ってわけではないのだから。ただし、俺の言うことも聞いてもらう。これから一週間、俺の所に通え」といい、お金を受け取ってくれたそうです。

甲野　まあ、このお話は知ってはおりましたが、今回ぜひあらためて直接ご紹介いただきたいと思ってお願いしたのです。これも「江戸っ子」の粋さですね。

土田　この話はご存じでしたよね。父はそれから一週間通います。そして、穴菊は土田一郎に玄能柄のスゲ方、ノミ柄の作り方を教えてくれたのだそうです。穴大工内で秘伝のごとく精製されてきた技術をぺーぺーの青年に伝授したこととなります。なぜでしょう。約束を守った青年を好ましく思ったということもあったはずです。また、穴大工の仕事も少なくなり、その技術を継承する者がいなくなっていった時期でもあったからでしょう。ただ、戯れとしての意味もあったでしょう。一週間後に土田が削り、仕上げた玄能柄を評して、穴菊は「直るかな」と言ったそうですから。

甲野　なるほど、このエピソードの後日談は初めて伺います。

土田　まあ理屈や工程は教授出来ても、プロのメガネにかなう形状に、そう易々《やすやす》と至らないであろうことは穴菊自身が一番分かっていたのでしょうから。

ただし、そこからが我父の真骨頂なのです。「バカじゃあねえの」っていうくらい諦めないんです。天才型ではありませんから、とにかく玄能柄をスゲ続ける。穴大工の柄の資料となるべきものを検証しまくるという熱中ぶりです。

結局、柄を教えてくれた穴菊の兄弟、穴林が亡くなった際、その墓を建てる費用を出資するまで付き合うのですから、「ど〜かしてるぜ」です。そんな経緯で覚えていったようです。

甲野　では、その穴菊という方から玄能の柄について、ほぼ「プロから見ても合格」をいただけるまでに何年ぐらいかかったのでしょう？

土田　初めて父が作った玄能柄に「直るかな」と批評したことは確かですが、良くなってゆけば何も言わなくなってゆくでしょうからね。「免許皆伝!!」なんて境界はなかったようです。

玄能柄を製作・研究していく過程で、父は穴林が使って使用摩滅で指跡がへこんだ玄能柄まで再現しているんです。そこから穴屋以上に工夫度を増していきます。大玄能ばかりでなく、あらゆる槌類柄に応用し得る精製をね。功は秘してこそ功です。

数百年かけて精製されてきた技術を身に付けるんですから、それくらいのことはせねばならなかったのかもしれません。

でも穴菊や穴林は、おかしな青年に追っかけまわされて、ちょっと迷惑であったのではないかと思うのです。たった五百円でつきまとわれ、きっと正月気分が抜けきらない時に乗り込まれてしまったのが運のツキです。

昔の職人は正月イベントの多くに関わり、一月十五日くらいまでは通常の仕事に戻れなかったそうですから、一月八日に「一週間通え」って、休みのうちにって意識が穴菊になかったとは言えないと思います。

それが五年、十年の交流になってしまう。墓の中に入って、やっとホッとしたんじゃないですか。いろんな意味で。

ただ父は本当に可愛がってもらったようです。穴林没後、穴林が最も大事にしていた大黒屋大玄能、そして是秀作のサライ鑿は土田一郎に託されますから。

甲野　いやいや、しかし土田さんもセンスのいい職人さんに粋と諧謔《かいぎゃく》は鍛えられましたね。まあ「江戸っ子」はそれが身上でしたからね。いろいろと素敵なお話を聞かせていただいて本当にありがたいです。

しかし、まあお父様の土田一郎氏の情熱あっての『千代鶴是秀』『千代鶴是秀写真集①』『千代鶴是秀写真集②』『時間と刃物』『職人の近代』等々に、今回の本ですから、野村棟梁が千代鶴是秀作の道具が入ったタンスに頭を下げられたように、私もあらためてお父様の情熱に深く御礼を申し上げたいと思います。

「名工」たる所以《ゆえん》

甲野　さて、もうこの対談も終わりに近づいて参りましたが、今回、一番土田さんにお伺いしたいことを質問させていただきたいと思います。

土田　はい、何でしょう？

甲野　先ほどあらためて話していただきましたが、土田さんのお父様は、十二歳の時に初めて千代鶴是秀翁と出会われ、自分を少年扱いするのではなく、一人前の人間として接してもらったことと、謙虚でいて、自分の専門外の鍛冶の世界にも深い知識を持たれていたことに心底感動されたそうですね。

その後、ずっと何十年にもわたって千代鶴翁の元に通われ、その技と人間性に惚れ抜かれて、千代鶴翁をそれこそ「有史以来最高の道具鍛冶」と思われていたとのことですが、そのお父様のご子息であり、土田刃物店の三代目である土田昇氏ご自身は、「千代鶴是秀」という人物に対して、率直に言って、どのようなご感想をお持ちなのでしょうか？　そこをぜひ伺いたいのです。

土田　私自身の感想ですか。

甲野　というのも、土田さんは、昨年（二〇一七年）刊行された『職人の近代』と、それ以前に刊行された『千代鶴是秀』『千代鶴是秀写真集①』『千代鶴是秀写真集②』の中で、千代鶴是秀という人物をさまざまな角度から検討されていますよね。

　その内容があまりにも多岐にわたっているためだったのでしょうか、特に『職人の近代』を読んだ読者の中で、「千代鶴是秀は技術が落ちてきた晩年は、あまり実用的ではない変わった切り出しなどを作ってお茶を濁していた」というような読み方をされている人がいて、私も驚いたことがあるのです。

　そこで、あらためて土田昇さんとしては、千代鶴是秀という人物に対してどのような思いを抱かれているのか、出来るだけ率直に語っていただきたいと思ったのです。

土田　そうですね。本当は、千代鶴是秀という人物に対する感想を、私自身はし得ないのです。なぜなら、会ったことがないからです。

　父が世話になった人で、父にとっては大恩人なのですから、悪く思うようなことはありませんが、正直なところ、会ったことも話したこともないまま、人物批評をしてしまうことは、かなり危険な気がします。

ただ、父を含めて是秀と直接交流した人たちには数えきれないくらい会って、是秀に関する話を聞かせてもらっているのですから、間接的な感触というものはあるのです。その感触から導き出されるものとは、やはり会ってみたかったな、話してみたかったな、という気持ちです。残念ですが、父が是秀を信奉し、是秀が亡くなるまでは結婚しなかったのですから、道理として私は是秀に会えない運命であったわけです。

ただし、是秀が作ったものは残っています。これは幻でもなければ、間接的感触を頼って解釈せねばならないものでもありません。不滅ではありませんが、確実なものであり、触れることも、研ぐことも、使うことも出来ます。

大体是秀自身も過去の名工のことを本当によく調べていますが、そのうち何人と直に会っているのかと言えば、かなり少ない人数なはずです。

是秀の書いたもので、是秀から父に音羽にあった土田刃物店が戦災に遭った見舞いとして贈られたサイン帳（これは当方で「サイン帳」と呼んでいるものです）の中に、徳川期から明治・大正くらいまでの道具鍛冶名工の名前を連ねたものがあって、是秀は「それらすべての工人は我師なり」と書き記すのですが、徳川・明治始めの工人にはもちろん会っていないでしょうし、同時代の工人にも多くは会わぬままであったはずです。

では、なぜ「名工です」「我師です」と言えるのか。それは工人たちが作ったものを検証しているからでしょう。そこから卓越した技術を読み取り、その技術を成立させるためには相応の人格・道徳が必要であると想像し、名工像が出来上がるわけです。

でも、その解釈の後半部分は想像でしかなく、おおむね的を射たものでも、ズレもありましょうし、例外的に間違いに至ることもあるはずです。

たとえばピカソって画家がいましたよね。美術・芸術を根本的に変革してしまった大天才として知られているはずです。おそらくその通りであるのでしょう。でも、いくつかの本によると、人格としてはどうかなって思えるエピソードがいくつもあり、特に身内に近ければ近いほど、証言者のピカソ評はよろしくありません。

甲野 そういえば、石川啄木《いしかわたくぼく》もそうでしたね。石川啄木を身近に知る人たちにとって、啄木は、ほとんど詐欺師のような人だったそうですから。

まあ、そうした人間性と才能は別ですよね。よくミュージシャンの世界で「あいつはいいヤツだよ」という言葉は、褒め言葉ではなくて慰め言葉だと言いますよね。楽器を演奏する腕と人間性はまるで別というより、天才的に上手な演奏をする人間はえてして性格が我儘《わがまま》勝手だったりすることが多いようで、バンドを組む時は人柄を取るか、演奏の腕を取るかは難しい問題だと、その世界の友人に聞いたことがあります。

こうしたことは職人の世界より、いわゆるアーティストの世界に起こりがちなことですから、ピカソの場合もまた凄まじい才能を持っていただけに、人間性も常識を踏み外していたのかもしれませんね。

土田　まあ、ピカソの場合は革命児ならではってことでもありましょうし、それで美術史上のピカソの評価が下がるわけではありません。
　でも作品の卓抜さだけで、その製作者の人物像が間違いなく捉えられるかというと違うのです。ですから、是秀の人物像に対する感想も、会ったことがないので何とも言いようがありません、ということになります。
　それに私は木工具に関わる専門家であることに違いありませんが、人や人の心を分析する専門家ではありません。つまり、会って話をした人に対してすら、正しい人物解釈をし得ているのか心配です。

甲野　土田さんらしい、ご感想ですね。しかし、まあ誰でも自分なりの感覚でしか人は判断出来ませんから、それが正しいかどうかは何とも証明のしようがありませんけどね。

土田　誰が言った言葉か忘れましたが、「相逢うて相識らず、共に語りて名を知らず」っていうのがあります。
　人間関係においての一つの理想のことを表しているのだと思いますが、個人的に好きなフレーズなんです。誰と誰が語り合っているのか分かりませんが、何だか良い会話が成立している雰囲気があります。そして誰と誰かとは、互いに社会的な素性を知らぬまま、知ろうとしないまま出会えたことを、会話出来たことを楽しんでいるように思えます。

本当は違う解釈をすべきフレーズなのかもしれませんが、私にはそう思え、単純に「いいな～」と思います。

ですから、もし千代鶴是秀に会って話すにしても「父がずいぶんお世話になりまして」とか「先生の生涯を勝手に本にしちゃってすみません」なんて地平で話を進めてゆくのは、ちょっと……と思ってしまいます。

甲野　ははっ（笑）。それは、そうでしょうね。

でも「相逢うて相識らず、共に語りて名を知らず」というのは、確かにいい関係ですよね。仮にその相手が社会的に問題のある人間や犯罪者であったとしても、あるジャンルにおいては大変話が合って、共感し合えるなら、その関係を大事にするために、それ以外のことはむしろ知りたくもない、ということはありますもんね。

土田　何か古い道具でも真ん中に置いて、批評・解釈し合ってみる方が、向こうもこちらも理解し合える気がするんです。

そんな空想はさておき、私は是秀という工人は人柄も良かったんだろうな、くらいのところで解釈を止めておく必要があると思っています。ただ工人としての技術に対しては、やはり上手だな、なかなか追いつくには大変だなと思います。

甲野　土田さんも今は、鍛治仕事を始められていますから、そうすると、出来上がった刃物を扱って仕事をしている人たちとは違う視点から、千代鶴翁を感じられているのでしょうね。

土田　いや、私の鍛治は完全に趣味です。仕事ではありません。二十年近く続けてはいますが、製作品を売ったことはありませんので。

ただ先生がおっしゃる通り、是秀の仕事や技術を理解するのには役立っています。スプリングハンマーもグラインダーも使わずに是秀作品を再現しようとすると、大変、大変。是秀は寡作なんて言われますが、そんなことはありません。

むしろ異様なほど手際の良い人であったことが再現すると分かります。

甲野　では、作られたものは、ほとんど取っておかれているのですか？

土田　え、私が作ったもの？　あげちゃいます。仕事じゃないし、手間換算して価格設定したら高価なものになっちゃうから。ひそかにしずかに使ってくださる真面目な職人に使ってもらいます。

甲野　私も、「松のこえ」の文字を刻んである切出を一ついただきましたが、この先、何十年かしたら、大変なお宝になっているかもしれませんね。なにしろ、その刃物を手にされた職人の方々からの土田昇作の刃物の噂は聞いておりますから。

土田 それから、「是秀は晩年、体力なり技術が落ちてきて、実用に向かない変わった切出小刀など作り、お茶を濁した」と解釈する方がいらっしゃるという問題ですが、是秀だって人間ですから、あらゆる面での衰えを、老いてゆく過程で被り、また自覚していたはずです。

若い頃の実用道具は上手なうえに勢いがあって、惚れ惚れしますからね。ですから、そう解釈した方を全面的に否定は出来ません。ただお茶を濁していたわけではなかったのだと思います。

甲野 それは当然そうでしょうが、どういう点で「ただお茶を濁していたわけではない」と感じられるのですか。

土田 だって、七十歳、八十歳にもなって、あの製作意欲はむしろ驚異的に思えます。「自らが若い頃に作ったものに劣らぬものを」との意図を持った作品もいくつも手がけているのです。鉋などは、どれも二十代、三十代に作ったものより正確精密に出来ています。

普通、年齢なりのほころびが少しは作品に表れ、それが真正直な自己の状態の反映である場合、私などはむしろ「これはこれでいいな」なんて思うのですが、是秀の姿勢はもっと厳しいんです。

若い頃の自らの技術に勝つ方法、と言っては俗かもしれませんが、[50]肉置《にくおき》の精度も、ウラスキの精度も上がっているのです。

職人が使う道具に何をそこまで、しかも高齢に達してからと思いますし、こんな風に言ったら、熱烈な是秀ファンに怒られそうですが、「可愛げがない」んです。
「そこまで神経質にならなくても」と感じます。これは千代鶴是秀なりの老いへの反抗かもしれません。

甲野　「可愛げがない」ですか。お父様と違って、いかにも土田昇さんらしい冷静さで見ていらっしゃいますね。

土田　七十九歳の時に作った「神交《しんこう》」って銘の鉋があるんですが、是秀がそれをウチの父に渡す時「土田君、これ分かる？」って言うのだそうです。一見いつも通りのきれいな鉋刃です。しかし、ウラスキに複雑な工夫がなされていました。
「先生、このウラスキ、ベタウラにならないために両コバ（側面）際をほんの少し深めにスきましたね」と土田は答えます。「そうですか。分かっちゃいましたか」と是秀はニコニコしながらも、少しだけ残念そうな表情をしたそうです。とても手のかかる新しい試みをしたゆえ、土田が気付かず、自ら解説することを期待したのかも

50 肉置―製品（鉋）の厚み配分のこと。

しれません。

土田は是秀に対して、「ちょっと悪いことをしてしまったかな」と思ったそうですが、その鉋の工夫されたウラスキのある反対側、つまり背面に返してみて驚きます。「来年八十」と鏨文字《たがね》で刻まれていたからです。

甲野 ああ、「来年八十」ですか！

土田 「七十九歳」とせず「来年八十」です。確実に老境に達したことを、いや、死が近くもあることを匂わせます。であるにもかかわらず、いまだに新しい技法なり工夫に没頭してみる工人像が浮かび上がります。

ですから、父はその執念とも言えるものに驚愕《きょうがく》したのでしょう。お茶を濁す行為とは真逆なはずです。

刀工にもいましたね。ちょっと変わった年齢表記をした人が。コテツでしたか、「百半」だか「半百」だかって。つまり五十歳という意味ですね。この表記にも単に「100÷2＝50」って数式以外の意味が隠されていますよね。

つまり百歳まで生きる予定で、道半ばっていうような。平易に言えば、まだまだやってゆくつもりで気力も充実しています、ということだと思います。

甲野　江戸期の刀工としては、最も有名な長曾祢虎徹興里《ながそねこてつおきさと》ですね。越前《えちぜん》で五十歳まで甲冑《かっちゅう》師をしていたのが、一念発起して江戸に出て、刀鍛冶となり、数百年にわたる日本刀の歴史の中で、名工の一人として名を残した人ですね。

土田　そうですね。虎徹の場合は、「来年八十」とは少し違いますが、いずれも「終着点＝死んで消えてなくなる地点」を想定して、自らの仕事を客観視しているのです。

若い頃の仕事に劣るようなことをしてないか、まだまだ工夫の余地はあるのではないかと自問しつつ、今している仕事を自ら検証しているんです。

ですからね、本当は是秀に会って話してみたかったとの欲望はあっても、社交儀礼的な、それこそ社会的な素性を互いに配慮し合ったうえでの生半可な会話をするくらいなら、むしろ会わずにいた方が、いや、会うことが不可能な位置にいることが正解なのかなとも思うのです。

甲野　それは土田さんならではのご感想ですね。

土田　私にとって是秀について記述してみる行為は、基本的に会ってみたことがない人物を出来るだけ正確に再現してみることに他なりません。幸い、父も含めてですが、是秀と直に交流した世代の人が、私が仕事を始めた三十五年前にはたくさんいましたから、証言・逸話・資料はわんさか得られるのです。それらと、残されている作品を照らし合わせ、検証して「やっぱり凄い人だったんだなあ～」てのが確信になるわけです。

大体会って話が出来る対象であれば、書籍にしてみる必要がなかったかもしれません。だって興味のある人が訪ねてみればいいだけのことなんですから。

ただ、本にしておいて良かったなって思うのは、お読みになってくださった方で「ウチも是秀と交流があったんだよ」なんて人が訪ねて来られることです。

『職人の近代』も千代鶴是秀の家のあった御近所の方が読んでくださり、見えられました。

その方の御父様や御祖父様《おじいさま》を父は知っています。是秀が貧乏して困った時に穫《と》った野菜を持っていったり、なにかと助けてあげた人でね。是秀は御礼に切出を作ってあげたりして、近所付き合いがあったのです。おそらく見えられた方の御祖父様の時代でしょう。

その切出は父も見ています。切れなくなると研ぎ直しに是秀の元に持ち込まれていましたから。孫を背に幸せそうで何より、という意味の歌が刻み込まれていたと記憶していました。

そして切出は昭和十一年頃作られたものなんです。二・二六事件の起きた頃ですが、是秀にとっては息子太郎が死んで三年しか経っていません。

太郎が亡くなった昭和八年から、約一年間、是秀は仕事が手につかなかったそうですので、仕事を再開して二年後の作品ということになります。近所付き合いの御礼に切出を作る、心の落ち着きを取り戻していたとも解釈出来ます。それでもさぞかし、孫を背におぶうその御近所の方が幸せそうに見えたのだと思います。そのお孫さんに当たる方が本を読まれて、切出を見せに来てくださいました。

父が記憶していた歌は切出そのものには刻まれていませんでした。聞くと、是秀が作った切出収納用の竹筒に記された歌であったようで、竹筒はなくしてしまったのだそうです。切出には、御祖父様名の為書きが刻まれ、背面には作者名、つまり、「千代鶴是秀つくる六十と三つ」と刻まれています。火造りっぱなしという是秀が得意とした切出の表皮表現の作品です。

そしてまた年齢表示の話に戻りますが、「つくる六十と三つ」という表現は、是秀のものとしては「来年八十」と同じように、とても珍しいものです。「作」「造」を使うのが通例です。「つくる」とひらがな表示し、また「六十と三つ」も六十三歳ということでしょうが、極めて柔らかな表現で、是秀とその御近所の方がいかに親しく交友していたのかが想像出来ます。

甲野　確かに、ひらがなで「つくる」という銘は、私も刀でも道具でも見た記憶がありません。

土田　本当に珍しい。あと、この「六十と三つ」の「三つ」には、また違った意も含まれている気がします。

「三つ子の魂」って言うでしょう？　是秀は年を取ってから、手紙などに「老小僧」なる自称を使っているのです。

「年老いてはいるものの、まだ未熟な小僧として仕事をしています」という、ちょっと自嘲的名称ですが、似た意味が「六十と三つ」にもあると思います。

六十歳にもなって三歳の子のようにまだ未熟、まだ進化の余地があり、ってな意志を表しているのではないかと。いや、本当にいい銘切りだと思ったんです。

甲野　「六十と三つ」には千代鶴是秀という人のセンスと人柄が表れている気がしますね。

土田　ですよね。また、千代鶴是秀が作った切出収納用の竹筒がなくなってしまったので、代わりに木箱に入れてあったのですが、その木箱は、切出の今の持ち主の弟さんがプレゼントしたものでした。

この弟さんは実家から独立されて、東京近郊に住んでおられるのですが、ワールドフォトプレスで是秀の本を出した頃に、やはり来てくださって「実は私の実家は……」ってお話で交流させていただいている方なんです。

こうした出会いを作り出してくれることが、「調査したことを本にしてみて良かったな」って思える事柄と思います。

「当家は戦時中、その町会単位で行った金属供出なんていう活動も率先してやらなければならなかった。でも、この切出だけは絶対に出さなかったと聞いております。それで残ったわけです」と話してもくださいました。良い話でしょう。

甲野　いや、本当にいいお話ですね。

土田　そう言えば、甲野先生との出会いも、本がキッカケであったはずです。初めていただいたお手紙、大事に取ってあります。

今回の本（『職人の近代』）に関しても、まだ校正が全部終わっていない段階で簡易製本したプルーフ版と言いましたっけ？　それを読んでいただき、お電話いただいて、とてもありがたかったのですが、その先生の電話での言葉には、ちょっとドキリとさせられました。覚えていらっしゃいますか？

甲野　え？　その時、私は何を言いましたっけ？

土田　「今回は『千代鶴是秀』の時と違って、名工・名人職人たちの伝説的逸話は、なしで書かれたんですね」って先生は言われました。

これ、図星なんです。意識的に避けたんです。テーマが天才を描くことではなく、工人の変容が時代の推移と交友によってもたらされたことを証明したかったからです。

「凄い人でした」を表現するのは割合簡単なんです。それこそ伝説的逸話なり、社会的な名声名誉の証《あかし》たる事象を書き連ねれば良いのですから。でも、それでは、ある一人の画家の展覧会を見に行って、作品そのものをろくに見ないで、年譜と解説だけ読んでくるようなものになってしまいます。

もちろん、それらの情報もとても重要です。それでも結局は、この画家は偉大であったという地平しか用意してくれません。

人間なんて、どんなに天才と言われるような人でも、偉大さの地平以外の積層するような別の地平なり地層なりを持っていて、たとえば実用道具から、そうではない美の創出にまで手を伸ばすとなれば、偉大さの地平、地層などをなぞってみるだけでは、その動機が探りきれないであろうという予感がずっとあったんです。ですから意識的に避けてみました。もちろん、会ったこともない人を解釈してゆくのですから、失礼のない範囲においてですが。

ただ、「そんな工夫に気付く人なんていないはず」とたかをくくっていました。ですから、先生のご指摘にはドキリとさせられたんです。私は「ええ」としか答えなかったはずですが、内心は「小次郎やぶれたり」と言われたようなものですから、穏やかではなかったんですよ。

甲野　そうだったんですか（笑）。つまり、それだけ、この本に思いを込められていたのですね。

土田　是秀が「来年八十」の鉋刃で、密やかに新しい試みをしたにもかかわらず、見せた相手に解読されてしまった時のように、です。

是秀という魅力的な対象を、より正確に捉えようとすると、それら地層をそれぞれ発掘し、分析解釈せざるを得ないんです。偉大さの地層も、微笑ましさの地層も、可愛げのない地層も、もしかしたらお茶を濁すような地層、それも少しはあるのかもしれません。

そんな発掘作業を地道に続けてこそ、なぜその時代の、その状況で、その作品を、その人に作ったのかが、鮮やかに見えてくるわけです。
そんな地層の一つに、やはり太郎に対するものがあるんでしょうね。この親子の相似と相剋《そうこく》の問題は、かなり厚めの地層として、是秀の心の中に堆積してしまったもののように思えます。

甲野 千代鶴翁にとって生涯で最も辛く悲しい出来事と言えば、やはり千代鶴二代目の太郎さんが亡くなったことでしょうね。それも遺体が確認出来ない「自殺だろう」という亡くなり方は、本当に辛かったろうと思います。

土田 そうでしょうね。太郎の実質的なデビュー作は「運寿」銘の鉋です。
昭和五年から七年の間に作られた鉋刃なんですが、「千代鶴家が」という枠を超えて、加藤家最高位の刀工、七代目石堂運寿斎是一（加藤政太郎）の名を冠した、いや、是秀と九代目石堂秀一が太郎の将来を考え与えた銘なんです。太郎はただ一人加藤家の希望の星だったんですからね。

甲野 太郎さんに「運寿」銘を名乗らせるにあたって、千代鶴翁は従兄弟である九代目・石堂秀一氏にも相談されたのですね。

土田 相談も何も、その時九代目石堂秀一は、身体を壊して是秀（加藤家）に引き取られていたのですから。息子二人を自殺・病死とあいついで亡くした秀一は、酒に溺《おぼ》れ、身体を悪くします。

後継ぎを一人前になろうとしている寸前で失ってしまったのですから、落胆は大きかったでしょう。また是秀にしても秀房《ひでふさ》、貞秀《さだひで》、延秀という正式な弟子が三人とも、独立後鍛治屋を続けることが出来なくなります。つまり弟子育成に失敗しました。「大正七年以降、弟子は取らないことにしました」と是秀が戦後まで言い続けた所以です。

つまり、秀一も是秀も同じような心の傷を負っていて、秀一、是秀、是秀の妻信《のぶ》、是秀の息子太郎という、元々加藤姓であるところの血縁四人が一つ屋根の下に暮らしていたのです。唯一残った加藤家末端の太郎に未来を託すしかなかったのです。それで加藤家最高位の刀工の名を……相談というより祈りに近い行為として「運寿」銘は太郎にさずけられたはずです。

そういう期待をかけられていたし、是秀という親から見て、「ああ、この子は鍛冶という仕事に向いているかもしれないな」と判断出来たのに、当の太郎は上々の鍛冶仕事をしつつも、本当に一生をかけてやりたいことは別にある、というようなそぶりをするんですもの。なかなか口を出せないというか、忠告するような隙を見出せなかったんじゃないかと思いますよ。

他人様《ひとさま》なら「てめえ、彫刻になんぞにうつつを抜かしてんじゃねえ」なり「本当はどちらの道に進みたいんだ。ハッキリさせて好きな方に専念しな」なり言えたんでしょうけれどね。

また太郎の方も父親が相手でなければ「実は……」というカミングアウトがしやすかったはずです。両方生真面目で、親子っていうんじゃ、どちらかがもう一方をぶっとばすわけにもいかなかったんでしょう。それで、太郎は自らをぶっとばすしかなかった。とても密やかな方法でね。

でも是秀は仕事だけは続けてゆくのです。優秀な、自分とウリ二つな後継ぎを失ってすら、仕事上の道徳は守ってゆきます。どんなに悲しくても苦しくても、世間様に対して恥ずかしいものは作れないんです。

それからね、これは探りようもないから、本にも書けませんし、私個人の想像でしかないんですが、是秀が息子を亡くしてからも、仕事上の道徳を守りきれた理由って、是秀の奥さんである信の存在がものすごく大きかったのではないか、つまり太郎がいなくなってからの信の態度が、是秀の心の均衡を保たせたんじゃないかと思うのです。

甲野　そういえば、太郎さんのお母様である信さんについては書かれていなかったですよね。

土田　そう。息子の死に対しての、この母親の思いは不思議にも伝えられていないんです。誰に聞いても、その証言はポッカリ空白なんです。

父も通いに通っただけあって、信さんともずいぶん多くの会話をし、是秀ではなく、信さんからの手紙も何通もウチにはあるんですが、父の記憶上も、その問題は空白なんです。

おそらく息子の死を一番悲しんだのは母親である信なはずでしょう。自分が産んだ子なのですし、自分が守る家、加藤家のただ一人の後継ぎなのですから。本当は取り乱し、精神的にうちのめされてしまっていいはずなのですが、そんな話は残っていません。是秀が一年間ほど仕事が手につかなかったという話が残されているだけです。実際は、信さんは取り乱しもしたんだろうと思います。

でもね。信さんの方が是秀より先に、無理にでも、うわべだけでも立ち直ったんだろうと推測します。

是秀は一年間、失踪した太郎の交友を訪ね、失踪の足跡を辿るんです。三原山《みはらやま》までね。仕事が手につかず、家を空けて、その悲しい巡礼をします。これは是秀一人で行ったことです。

乗り物酔いがひどかった信さんは、本当に近所にしか外出しない人だったのですから。つまり信さんは是秀の巡礼に付き合わず、一人家に残されていたこととなります。悲しみに寝込んでしまっていたのか、仏壇に手を合わせていたのかは分かりませんが、夫の帰りを待つしかありません。

そして、このままでは夫も自分もダメになってしまうかもしれないと、どこかで気付くはずです。一番悲しみの深い自分がしっかりすることでしか打開策がないことにも気付きます。

信さんがスムーズに立ち直りに至ったなどとは思いませんが、少なくとも是秀よりは先に、表面上は立ち直ってみせたのだと思います。でなければ、是秀は「あの時は大変でね。特に妻は何も喉を通らなくなって、かわいそうでね」ぐらいの思い出話は残すはずなのです。

是秀の悲しみばかりが記録され、信に関して空白であることの意味ってそんなところにあるのではないかという気がします。仕事上の道徳に復帰するために、信は是秀以上の苦しみを乗り越えねばならなかったでしょうし、また子が死んでさえ、復帰する価値のある場所が、その道徳に支えられた鍛冶仕事であったのだと思います。

甲野　白崎秀雄《しらさきひでお》著『千代鶴是秀』の中では、太郎さんの母である信さんの悲しみようが書かれていた記憶がありますが、あれは小説家としての創作だったのですね。まあ、白崎秀雄という人物は、伝記作家として名を馳せた方でしたが小説家の性《さが》でしょうか、どうしても話を創作したくなるところがあったようで、千代鶴翁と彫刻家の平櫛田中《ひらくしでんちゅう》とのエピソードも私が土田さんから伺った事実とはまったく異なった、千代鶴翁がこの彫刻家を拒否していたような話を載せていましたからね。

しかし、信さんの悲しみや嘆きに関して、近くにいた方からも、そのことが語られていないということは、むしろ信さんの悲しみがどれだけ深く大きかったかを物語っている気がしますね。

交通事故などの打撲も、それが深いところに入ってしまうと、その打撲を受けた人自身、痛みも感じず、事故で怪我をした人の救出を手伝ったりして、まったく大丈夫そうに見えることがありますが、数日または数週間後に体調が急変して亡くなったりすることがありますからね。

信さんの場合がどうだったかは、もちろん分かりませんが、私は子息の太郎さんを失った悲しみがあまりに深く大き過ぎて、表現のしようもなかったのではないかという気がします。

そして、このことに直接関連して、ぜひ伺っておきたいことがあります。

土田　なんでしょう?

甲野　『千代鶴是秀』『千代鶴是秀写真集①』などにも度々登場していた大変腕の良い建具師「ま

な板の寅」こと秋山寅吉《あきやまとらきち》という人物の子息は、非常に腕が良く、この子息が戦死した時、「あいつが戦死したのは仕方がないが、あの腕は惜しかった」と、父親である「まな板の寅」が残念がっていたということですが、二代目千代鶴となった千代鶴翁の子息、太郎さんも大変腕が良く、晩年千代鶴翁から頼みこまれる形で千代鶴の名を継がれて、三代目となられた千代鶴延国こと落合宇一氏は、自分の直な師匠である千代鶴翁よりも、むしろ子息の太郎氏のことを褒めていたとのことですが、千代鶴翁自身が子息・千代鶴太郎という人物に対してはどのような感想を持たれていたのでしょうか？　このことに関して、何かお父様は聞かれたことがおありでしょうか？

土田　建具師まな板の寅が、自分より上手なのではないかと思うほど、優秀であった息子を戦争で亡くした際、「息子が死んでしまったことは、それが運命であったのだから仕方がない。ただあの腕（建具師としての息子の腕）が惜しかった」と語ったという話は、これも一種の仕事至上というか技術至上主義なのでしょうけれど、まな板の寅は息子の死後も仕事は続けてゆくのですから、仕事や技術、それを支える良い仕事をせねば恥であるという道徳観が、このダンディズムを支えているのだと思います。それだけ上手な職人たちは命がけで仕事に当たっているということなのだろうとも解釈出来るんです。

是秀は是秀が生きた環境や時代の産物として、太郎は太郎が生きた環境や時代の産物として、命がけで生真面目にことに当たったからこそ「太郎は太郎でしたし、私は私でしたから」という是秀のちょっと冷徹な言葉にもつながるのでしょう。

親子で同じ仕事を引き継ぐというのは、なかなか難しいものですよ。世界で一番身近に、深く解釈し合ってしまっている関係なのですから。世間では「先生、先生」って呼ばれていたって、息子からすれば「え、どこが先生なの？」って意識はどこかにあるものなのですから。

その難しさの唯一の解消策っていうのはユーモアなんだと思っています。諧謔ね。「親父、この腕をもってして、何で自分のヒゲを剃る時だけは、これだけ不器用になれるのかね。はいバンドエイド」って太郎さんが言えればね。命がけで生きつつ、それが言えればねえ……。

土田刃物店所蔵写真（表）

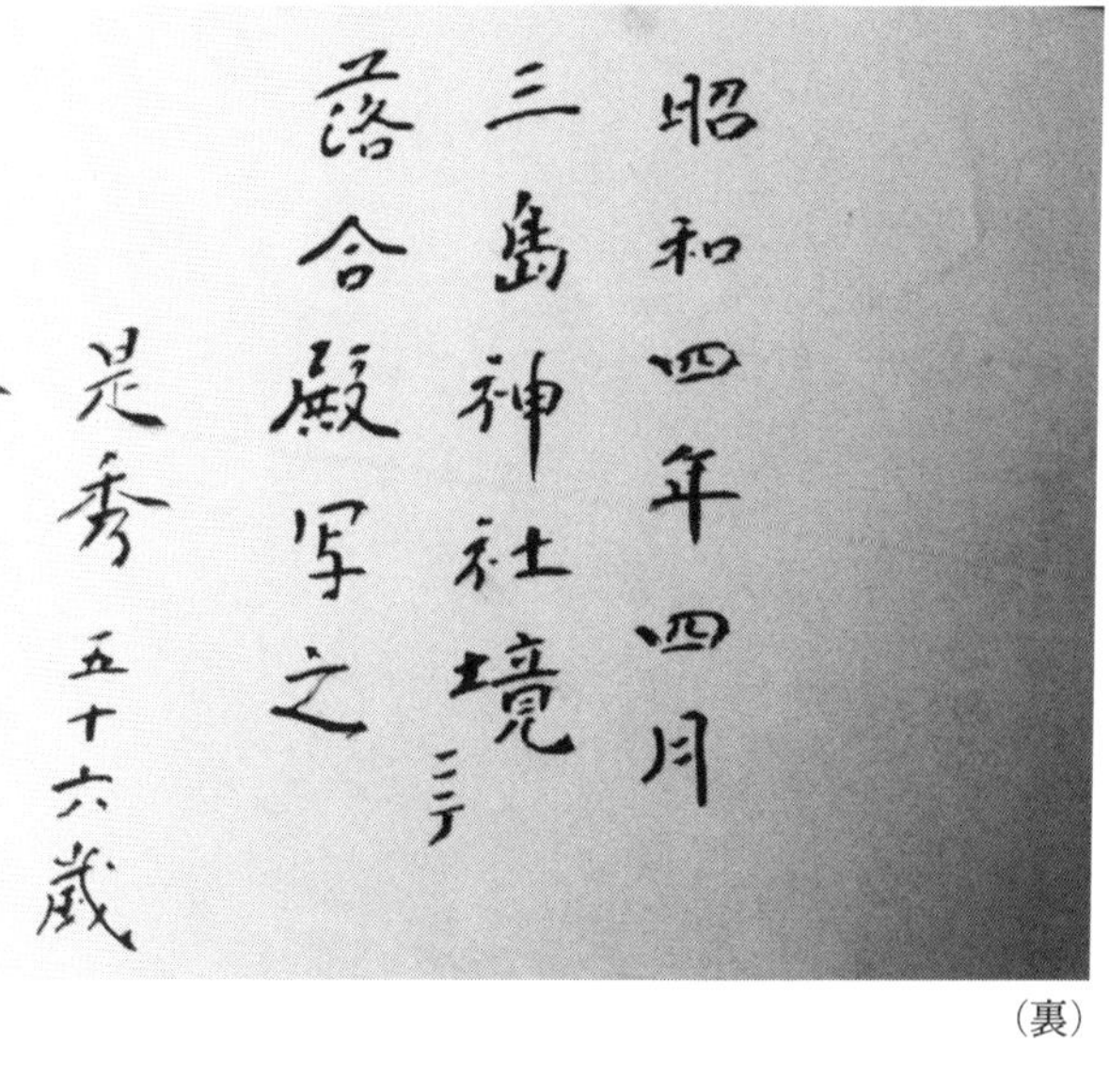

（裏）

【追記対談】

授業科目は、国語と歴史と体育だけ

甲野　今回わざわざ時間を取って私の質問に答えていただき、ありがとうございました。伺えば伺うほど、ますますお聞きしたいことが増えるばかりです。

ただ、それではキリがありませんので、最後にこれはぜひ伺っておきたいと思っていたことをお伺いします。

土田　はい、何でしょう？

甲野　それは、職人の育て方も含めた教育についてです。

私は現在、武術研究者として昔の文献も研究してはいますが、主にやっていることは、私自身の身体を通して、現在は失われてしまった武術の技の探究です。

なぜ私がこうした道に入ったかというと、今から四十年以上前、私は合気道を稽古していたのですが、この合気道を含め、現在広く知られている武道では、古《いにしえ》の真に驚くべき技法をほんの僅《わず》かでも再現することが難しいということを実感したからです。

そこですでに申しましたが、今から見れば呆《あき》れるほど未熟であったにもかかわらず、この道の専門家となって独立し、私自身が納得のいくように、独自で技の研究を始めたのです。以来、ずっと手探りで探究してきました。

幸い運に恵まれたのか非常に得難《がた》い方々とのご縁がつながり、私の無謀な試みは結果としては、ある程度成果らしいものも出せました。

この経験によって、どれほど学ぶ意欲があっても、その意欲が実を結ぶような稽古法、修行（業）の仕方に出会わなければ、ただ単純に回数を多く行うということでは身体も壊し、志も枯れることになってしまうということを確信しました。

そして、このことは、武術の修行のみならず、あらゆるジャンルの学びについても言えるのではないかと思います。

そこで、今回お話を伺ってきた最後に「学び方」、つまり稽古法を含めた教育法について、土田さんのお考えを聞かせていただきたいのです。

土田　そうですね……。私個人が考える教育とは、技術や知識を体感として伝承し、それを深めてゆくことに他ならないと思います。資料や文献を細かく分析してゆくことが悪いとは思いませんが、木をいじったことも、鉄をいじったこともないまま木を語り、鉄を解釈してゆこうとしても、どこかに無理があると思うのです。

たとえば職人さんがね、見事な動作で木工具を操り、また鍛冶道具を自在に操作して、立派な製作品を作り上げてゆくサマを見て、「ああいう風にするから、これが出来上がるんだ」と解釈することは誰にでも出来ることです。でも、その解釈で止まってしまったら、その分野で生きてゆく資格はないと思うのです。

身体がうずいて、「俺もあんなに気持ち良く仕事してみたいものだ」「私もあんなきれいで精密なものを作り出してみたい」って、ワナワナしたとすれば、それが体感としての伝承であり、教育だと思います。

もちろん「じゃ、やってみてください」って職人さんに言われて、やってみると出来ないもんなんですがね。ただ、そこからしか物語は始まりません。

甲野　そう、特に好奇心が旺盛《おうせい》な子どもの学びには、学びに関わる「物語」が必要ですよね。

土田　たとえば「水＝H_2O」は知っておくべきことなのかもしれませんが、「水＝喉が渇いた時に飲むと美味《うま》い」だって立派な公式だし、「水＋セッケン＝純炭素鋼の焼き入れ硬化時の冷却水としては不適」だって、「水＝H_2O」よりは物語があるように感じます。

甲野　私もまったく同意見です。このことはもう何度かお話ししたかと思いますが、学校の教育、特に小学校などでは学ぶことと体感を一致させた方がいいと思うのです。

たとえば、三角形の斜辺が五で、他の辺が四と三だと直角が出来ますが、これを教科書の上だけで学ぶのではなく、校庭に出て、五メートル・四メートル・三メートルと距離を測って三角形に杭《くい》を打ち、そこに縄を張ることで直角を作ることが出来るということを体験すれば、そうした知識はその後の生活やさまざまな場面でも生きると思いますし、その際に道具の使い方、身体の使い方を覚えることで、非常に教育効果が上がると思います。

ですから、私は小学校の特に低学年の授業科目は三科目、国語と歴史と体育だけでいいと考えています。

土田　それはどういうことですか？

甲野　国語は教科書や資料を読む時必要で、これは外せません。算数や理科、音楽などは、全部歴史の中に入れ、人類が道具を使うようになってからの歴史を振り返って学ぶ。

そして、時に応じてそれを体験するために体育は必要だと思います。ですから体育は工作も兼ねています。

土田　それは面白いですね。ちょっと寺子屋へと先祖返りするような試みに感じますが。

甲野　私は以前、朝日新聞社が企画したオーサー・ビジットという出張授業の講師として選ばれ、日本各地の小学校から中学・高校に出かけて行ったことがありますが、その時は生徒たちに興味を持ってもらうため、いろいろと工夫しました。

　たとえば阿蘇《あそ》の小学校に行った時は、大阪城にある一方が蟻《あり》継ぎでスライドさせないと入らない婆娑羅《ばさら》継ぎとか言うそうですが、あの継ぎ方の柱の模型をニンジンで作って持って行ったことがあります。

土田　あ、あの大阪城の柱ですか。あれをもっと複雑にしたものを野村さんは作ってましたよ。四面全部継ぎ目や形状が違っているもので、野村さんの工夫したものです。大塚さんって、これまた名門大工で野村さんを尊敬していた方がいらっしゃるのですが、この方がその野村貞夫の創出した継ぎ方を見て、同じ継ぎが出来るのに一週間かかったそうですけど、野村さんは、そのオリジナルの継ぎ方を数日で考え出し、しかも作り上げています。

甲野　そうしたオリジナルな継ぎ方の工夫が出来るというのも、手を使った技術の工夫が身体の感覚として身に備わっていたので、思考と技術が離れ離れになっていなかったからでしょうね。

　その点、今は理論に偏《かたよ》り、頭の知識でやったつもりになっていることは非常に問題があると思います。

あと、先ほどのニンジンの模型作りも刃物が要りますが、今の子どもたちの刃物の扱い方は、見ていられないほどひどいものです。

物作り王国と言われた日本も、現在のように刃物を過剰に用心し過ぎていては、この先優れた職人が育つとは思えませんね。道具の原点である刃物を使いこなしてこそ、物作りのアイディアは消えずに後世に引き継がれていくと思いますから。ですから子どもたちに刃物を持たせないようにしている現在の教育の在り方は非常に問題があると思います。

まあこれについて語り始めるとなかなか私も止まりませんので、取《と》り敢《あ》えずはこの辺にしておきます。

土田　科学や学術をバカにするつもりなんてまったくありませんが、体感しつつ学んでゆかなければ面白くありません。公式や定理を積み上げ、その堅牢《けんろう》強靭な知を、いざ現実世界に実現しましょうって核兵器を作ってしまい、体感行為（体感させる行為）として、その実用を人類はなしてしまうのですから、恐いものです。

甲野　本当にそうですね。

土田　体感しつつ、その物質を解釈していったわけではなく、解釈が極まった末に体感してみたら、その構築された知識の集積物は人類の敵だか味方だか分からないものであったわけですから恐れ入ります。キュリー夫人伝を読まなかったのかって思います。

放射性物質の発見、精製で、キュリー夫人の身体がそれに侵されていったことを知らないわけはないと思うのですが……複数回ノーベル賞をもらったところだけ「偉い、スゲ〜〜」って飛ばし読みしたのでしょうかね。

石堂秀雄さんという石堂家十一代目の鍛冶の腕を見せてもらったことがあります。手の甲から腕全面、斑点《はんてん》状の火傷《やけど》が重なり合って、いわゆるケロイド状態なのです。この腕を見せてもらった時に、被爆された方の写真をなぜか思い出したんです。石堂さんの場合は、生活するために仕事をしてそうなったものであり、原爆の被害者は兵器の熱線によるものですから、比べちゃいけないのかもしれませんが、白くつるりとした斑点が重なり、体毛もなく、人の皮膚って表情じゃないんです。

甲野　仕事に打ち込まれている人の身体は、時として人間離れした状態になっていることがありますね。

戦前の刀の柄に柄糸を巻く柄巻師のことが書かれていた本に、その柄巻師の小指の写真が載っていましたが、それはもうちょっと人間の指という感じではなかったですね。

土田　石堂秀雄さんは戦後に活躍した鍛冶屋ですので、スプリングハンマーもある鍛冶場で仕事した世代です。スプリングハンマーで火造りをすると、槌で叩いてやるより、大量の真っ赤な鉄の酸化膜が飛び散るんです。

そして秀雄さんは身体が大きく、無類の仕事人間。名門「石堂」の名を冠しているのですから、もっと余裕のある製作方法をとっても良かったのでしょうけれど、とにかく毎日働き、「月産三百枚以上仕上がらなければ気分が良くない」って人でした。ですから、勤労の証たるものもひどい状態であったと言えるでしょう。

私も素人芸ながら、ずっと鍛冶作業をやっているから分かるのです。もちろんスプリングハンマーやエアーハンマーを使うわけではありませんから、たかが知れていますが、火造り途中は、火玉、湯玉が飛び散り、熱かろうが火傷しようが作業は続けねばなりません。なぜなら、その温度域内でせねばならないことをしてしまわない限り、きちんとした内容の刃物に行き着かないからです。

お酒を飲むと私の腕や手の甲にだって、まばらにではありますが白い小さな斑点が浮かびます。火傷で皮膚組織が壊れて、血が通わなくなっているんでしょうね。鍛冶屋なら大なり小なり被らねばならないものです。

でも秀雄さんの腕を見せられた時、他の木工具鍛冶より明らかにひどかったそれは、私にとって大きな教訓となっていたのだと思います。

甲野　その腕が言葉以上に多くのことを教えていたのですね。もっとも、「教えられた」というより、土田さんが「自然に学んだ」のでしょうけど、その関係性こそが教育のような気がします。

土田　秀雄さんのようになるくらい仕事をしなければプロじゃない、なんて感じたわけじゃありませんし、逆に、あんなにまでして生産量を上げることは不自然と思ったわけでもないのです。触覚は残っているのか、汗は分泌するのか、なんて風に思いました。

「火造りにおける火傷で鍛冶仕事が出来なくなっちゃった」なんて話は聞いたことがありません。槌やハシを握る掌の方は、普通は火傷なんてしないものですから、甲や腕が斑点だらけでも何の支障もありません。秀雄さんだって亡くなるまで鉋を作り続けていたのですから。でも被爆者の映像を思い起こさせるほどの労働の証にゾッとするものを感じたのです。

つまりですね、その不自然さを受け入れてしまえるほど、人間って夢中になれるんです。ある過去の名工の製作品に劣らぬものを作ろうと考えたのか、とにかく誰よりも数多くの鉋を製作しようと考えたのかの違いなんて関係ありません。夢中、熱中したうえでの体感は秀雄さんにしか分からないものでしょうけれど、ちょっと近寄り難い恐さを、その見せられた腕に感じ、単純にこれは真似出来ないなと思いました。

そして、それは大きな教えでもあったように今は解釈しています。やりたいと身体がうずいたり、近寄り難いと身体が後ずさりすること、それを喚起してくれるものこそが教えであると。

甲野　そういう体験を今の若い人というより、子どもたちに、もっと幼い時から、させるようにすべきですよね。日本が「物作り」で立国していくには、それはぜひ必要なことですから。

土田 それから重要であるのは生の人間に接することです。

情報も知識も作業動作の映像もとても簡単に入手出来るようになった世の中で、師や先生や親父に接しないまま、技術を修得していってしまう優秀な才能の持主がいることは確かです。

私の技術修得の大まかな順番は、見よう見真似であれ、父や伊藤宗一郎さん(台屋)や、長谷川幸三郎さん(玄能鍛冶)や嶋村幸三郎さん(ノミ鍛冶)、山崎正三さん(ノミ鍛冶)と接しつつ、まずは玄能柄、ノミ柄の製作方法、研磨技術全般、鉋の台入れ技術、趣味で始めた鍛冶技術、そして一番最後に家業である鋸の目立仕事という風でした。

甲野 一番最後に家業というのは、意外に思われる方もいらっしゃるかもしれませんね。

土田 そうですよね。本来、家業たるものをまず身に付け、余裕があれば他の技術もというのが順当な気がしますが、父は「目立なんて簡単簡単。一週間もやれば覚えられる。俺なんか目立し始めた、その最初の鋸でちゃんと大工さんから目立代をもらった」なんてことを言って、やらせてくれないんです。店に入って十年近く、家業ではないものを修得していたこととなります。

甲野 当時、土田さんご自身は、その状況をどう思われました?

土田　私は小心な方ですから、不安になるんですね。「目立は一週間で覚えられる」っていったって、やらねば覚えられませんし、そんなに簡単なら、パッパッて覚えてしまう方が得策であろうし、他の技術を身に付けてゆくうえでも安心だろうと考えました。
しかし、父は息子の不安など感知していないように鉋の台屋、ノミの柄屋、鍛冶屋に通わせ続けるのです。
そして、台入れも柄入れも研ぎも出来るようになって、それを仕事のサイクルに組み入れることが出来て、私自身もう目立くらいしか覚えることがないとなって、目立に手を出すに至ります。

甲野　それはお父様が「そろそろ目立をやろうか」とかおっしゃったのですか？

土田　いやいや、父が「はい、もう目立してもいいよ」なんて言ったわけではありませんよ。私が勝手に、半ば強引に、痺《しび》れを切らしたように手を出したわけです。父は禁止も指導もしません。ただ、私が目立をしたり、板の狂い直しをした鋸を批評はしてくれます。

甲野　それは結果として、本当に素晴らしい指導法になったわけですねえ！　当時の土田さんご自身は、不満がおありだったかもしれませんが、もし土田さんのお父様がそういう教育方針を取らず、ただ目立だけを覚えるようにと指導されていたら、我々は土田さんの木工道具に関する一連のご著書を見ることは出来なかったと思いますから。

おそらくお父様は千代鶴是秀という人物に触れ、ご子息が広くこの世界のことが理解出来るような人間に育ってほしいと思われたのでしょうね。ただ、そうしたことを一切口にせず指導された辺りが、いかにも職人的な教育法ですね。

しかし、今のお話を伺って、あらためて土田さんのお父様に深い感謝の思いが湧き上がってきました。もし、そうした配慮がなかったら、今ここで私がこうしてさまざまな興味深い職人談を伺うことも出来なかったわけですから。


土田 父の私への態度が配慮と言えるようなものなのか、思い返してみても？マークですけれど、結果オーライということで私は感謝しています。と言って、「あの時つきはなしてくれて、特別な指示も与えてくれないでありがとう」なんて父に言うのは嫌ですね。だって父は本当に父が課題とするところのものだけに熱中している風にしか、私には見えませんでしたからね。私が研ぎ上げたものや、柄スゲ、台入れしたものを見せに行っても、父は、いたってシンプルな評価方法で、○×方式。「いいね」と言ってくれるか、無言で突き返されるかでした。もちろん、始めのうちは無言の連続です。

目立を始めてすぐに気付いたことは、一週間で修得出来るような技術ではないこと、つまり父が嘘を吐いていたことです。

技術って身に付けてしまうと「簡単、簡単……」て言いたくもなり、また心底そう思えてもしまうものですから、単純に嘘とは言ってはいけないのかもしれませんが、大きなカガリ鋸[51]も極小の胴付鋸《どうつきのこぎり》も自在に目立し、板直しも出来る域に行き着くのに、一週間はどれほどの天才でも無理な気がしました。

後になって父は「いたずらで八歳の頃に、じいちゃん（父の父、私の祖父）の仕事を真似て鋸をいじっていた。十二歳の頃には仕事として、じいちゃんの目立の手伝いも始めた」なんて思い出話をするのです。

もう目立もずいぶん出来るようになってからの私に話すんですから、「エ〜〜話が違うよ」って思いましたが、父が大天才でないことを知って安心もしました。

甲野　ハハハ（笑）。

土田　結局数年は修得にかかるわけです。「出来ない」「これではお客様に渡せない」って感じながらね。

でも現在の若い人の中にはネット上に流れる情報や画像を見ただけで研ぎや鉋台の調整や、はては鋸の目立や板直しを本当にやって

51　カガリ鋸―製材に使うタテ挽鋸の別称。ガガリ、ガンガリとも言う。

きてしまう方がいらっしゃる。

それもかなりな短期間で、それなりのクオリティの調整をしてきてしまう。経験値は浅いわけですので、突っ込みどころは多くあれど、鋸の板直しまで恐れることもなくし得てしまう。

俺がおっかなびっくり、手探りで鋸板の緊張部分とゆるんだ部分の調和を叩いて直してゆき、それを成し得るのに何年かの精進があったはずのものを、それこそ「一週間」でやってきてしまっている。

甲野 ああ、そういう人もいるんですね。

土田 少なくとも目立開始一週間の地点で、私はヤスリで鋸の目を研磨する、目立の仕事の中では一番簡単な工程に留まり、アサリ出しや、ましてや板直しになど手を出していませんでした。

今の情報、知識の氾濫《はんらん》は大したものだと思いますね。ただ、その勇気ある、おそらく優秀でもある、あんちゃん方、氾濫しているものの中から「これは」というものを拾い出し、真似してしまう人たちとお話ししてみて、ちょっと残念だなって思うのは、その技術の出所との交流が希薄で、あっさりしているんです。

生の人間との交流ではないからかもしれません。それこそ「いいね」をポチリと押すだけの関係と言いますか。

変な上下関係やまどろっこしい習慣にしばられていないだけ、技術移行なり修得が明快で円滑になされるという良い面があるのかもしれません。しかし、体臭も物語も不在なままですから、妙にさみしいんです。

甲野　まあ、そういう人は状況状況に即した応用力は、なかなか身に付かないでしょうし、人として面白い人になるのは、難しいでしょうね。清忠つまり嶋村幸三郎さんのような話をしていて見事なコメントが次々と口から出てくるような人物にはなれませんよね。

土田　それはもう難しいでしょうね。あと、「いいね」は「いいね」の先を想定していないから、やっぱりどこか薄っぺらくて、さみしいんです。

おそらく、ネットの情報や知識だけで、鋸の目立や板直しが、ある程度、短期間に修得出来た優秀さを持つ若者は、さらに難しい、ひどく板が狂った鋸の修正も出来るようになり、それなりの深みも味わえるようになるのだと思います。

ただ、前にもお話ししたように、現在電動工具や替刃鋸が発達普及した世の中で、伝統的な鋸はまったくと言っていいくらい使われなくなっていて、その目立調整なんて仕事にはなりません。儲からないどころか、目立仕事だけでは暮らしていけません。そんな状況をネット世代のあんちゃん方も、十分知っています。何しろ情報通なのですから。

ではなぜ触手を伸ばしたのか。滅びようとしている伝統技術への憧れでしょうか？　それもあるでしょう。あるいは、手を出す人が少ない分野であるからという特権意識？　そうかもしれません。でも本質は「真似してやってみたら面白かった」「やってみたら案外きちんと出来た」ということだと思います。

そして「面白い」の後ろに情報としての「儲からない＝仕事として成立しない」がくっつきます。「面白いけど儲からない」素晴らしい現状認識です。瑕疵《かし》たるものが入り込みようもないくらい明瞭な認識です。

でも、私の認識の仕方とはほんの少しだけ違います。私が目立仕事を続けているのは、もちろん「鋸の目立をしてくれ」と鋸を持ってきてくださる職人さんがいるからなわけですが、「儲からないけど面白い」からなのです。

あまりにたくさん目立仕事が来てしまったら、他の仕事が出来なくなり、自動的に土田刃物店はつぶれてしまうことになりますが、経営上そんなお荷物部門を残しておくのは、祖父からの継承を大事にしているというより、「儲からないけど面白い」からです。儲からないけど面白いから継続するわけです。

一方「面白いけど儲からない」の後ろにくっつけられるのは「継続」ではなく「からやめる」なはずです。

甲野 その辺りの土田さんの言葉の選び方、センスには感じ入りますね。まあ、これも江戸の職人が伝えてきた諧謔などのセンスが身に付かれているからでしょうね。嶋村幸三郎さんのような方にも鍛えられていらっしゃるでしょうし。

土田　たとえ話に過ぎませんが、ネット世代の技術継承者の軽やかな優秀さには、そんな臭いをかいでしまうのです。なぜ私が「面白いけど儲からない」ではなく「儲からないけど面白い」とし得ているかと言えば、やはり生身の職人さんに接し続けていたからです。
入門したてで「あんちゃん、親父の仕事継いじゃったの。バカだね〜」という言葉で迎えてくれた方々が、この堅固な認識を支え、その転倒を防止しているように思います。
教育なんて、私のように登校拒否児で「行ってきます」の後、学校ではなく、映画館や図書館に入り浸っていた者が語ってしまってはいけないのかもしれませんが、仕事について新潟の鍛冶屋さん回りなどするようになると、「やっと人やら社会と接する機会を一人前に得ることが出来た」という気持ちになって、胸躍りました。

甲野　いや、好奇心、探究心のある者にとっては、それが当然で、今の教育の在り方の方が私は根本的におかしいと思っています。今回の対談をお願いした理由の一つは、その現在文科省が仕切っている教育体系のおかしさを世の中に訴えたいということもありました。
特に職人に向いている子どもなんて今の教育体系では芽が出にくいですよね。

土田　「可愛い子には旅をさせろ」って、親が豪華な旅行の代金を出してあげるって意味じゃないですよね。子をひどい目に遭うかもしれない異質な世界に放り込んでみることは、実は親にと

っても子にとっても、大きな成長の糧になるってことでしょう。今の教育現場って、親が金を出す豪華な旅にしか見えない。よく出来たシステムでしょうから、考えられたツアーなんでしょうが、少なくとも異質な世界を旅するツアーではない。職人の世界だって「西行《せいこう》する」って言葉があって、やはり危ない目や肌合いの違う人に接して成長しろって意味が含まれています。私にとって、大工道具の業界に入って、鍛冶屋や台屋や柄屋を訪ね、どういった関係を構築出来るのか、まったく分からないところが異界と感じられ、胸躍ったわけです。「可愛い子」じゃありませんでしたがね。

新潟出張の一番最後は決まって長谷川幸三郎さんで、一晩中、話し込んだことも何度かあります。幸三郎さんも現在の私の年齢くらいで、夜通しよくも二十歳《はたち》そこそこのペーペーに付き合ってくれたものだと思います。ずーっと鍛冶技術の話、夜が明け、ふらふらになって、幸三郎さん「ちょっと本成寺へお参りに行こう」って、近くの寺に散歩に連れて行ってくれる。眠気覚ましにね。

今思い出してみると、ずいぶん迷惑をかけてしまった。幸三郎さんのご家族にも。ゴメンナサイです。奥様と娘さんが二人いらっしゃったのに、私はその迷惑も考えないで夢中でした。

幸三郎さんの家の玄関には娘さんが小学生ぐらいの時に描いたのであろう絵が一枚ずっと飾られていました。その絵は、父親が仕事している姿の絵でした。しゃがんだ幸三郎さんの背中が描かれていて、どうやら火造った玄能の黒皮（酸化膜）を落としている作業場面らしい。

鍛冶仕事の中ではとても地味な工程です。槌をふるう火造りや、精妙な焼き入れ場面ではないのが、いかにも名工の娘らしい視線であると感じました。
よく名工や達人を表現する文章で「うしろ姿が……」「背中が……」って、かっこよく文字化されているものがあるでしょう。まるで常套句《じょうとうく》のように。ああいう寒々しい嘘っぽさとは違うんです。
汗と油と灰にまみれた作業着の背中、作業帽、メガネもかけている。動きのある姿勢ではないものの、ちゃんと熱量というか体温の感じられる良い絵でした。

甲野 それは娘さんにも父である幸三郎さんの本気度、迫力が伝わっていたのでしょうね。

土田 娘さんのうちの一人が「男に生まれたかったなあ。鍛冶屋継ぎたかったなあ」とこぼしているのを聞いたことがあります。そんな場面場面に私は教育されていたことになります。

甲野 そういえば、自転車のメッセンジャーをされていた、ノミ鍛冶の市弘さんの娘さんも同じようなことを言われていたそうですね。

土田 そうそう、市弘さん（山崎正三）に言下に「女だからダメッ」て拒否された妹さんの方。何年か前、震災・原発事故の被災地の方へ、これから行くんだって家に寄ってくれたなあ。妻が作ったサンドイッチを私も含めて三人で食べて出発された。あいかわらずたくましい方で、その地の子どもを対象としたボランティアに参加してらっしゃるとの話でした。

とにかく行動してしまう人なんだろうと、まぶしく見えました。職人に向いている気が私にはしましたがね。今どうしていらっしゃるか。また顔を出してくれるんじゃないかと思います。

彼女も含めて、幸三郎さんに限らず、上質な教授陣に接しつつ学ばせていただきました。感謝し尽くせないし、恩返しもし尽くせない。つまり死んじゃうまではやめるわけにはいかない。背中ではなく、手元を見せてもらってしまった者としてね。

父が目立技術をなかなか学ばせてくれなかった理由も、そんなところにあるのかもしれません。「とにかく良質な技術、技術者に接しておけ」って意味であった気がします。

そうして生の人間と接することによって、「儲からないけど面白い」を維持出来る秘密をそれとなく知ってゆくこととなるのですが、その秘密とは、つい真剣にやり過ぎて力んでいることにも気付かず、また思考も深刻になり過ぎて日々がつらく感じられる状態の時に、生の人間の何気ない事柄、言葉、出来事が、固体を気体に昇華するように解きほぐす作用があるってことなんです。

甲野　その辺りが、ネットで鍛冶や目立の技術を学んだ人たちとの決定的な違いですよね。

土田　そうですね。人間相手はまどろっこしい部分も確かにありますが、世界の中心が自分ではないことを気付かせてくれますね。

二十年以上前ですか、鋸の目立も上達して「とことん難しいものに挑戦しよう」と思って、徳川末頃に作られたものであろう、凄く薄い胴付鋸をいじり始めたことがありました。

鋸は、お客様より預かったものではありません。古物市で買ってきたものです。ですから、もし失敗しても誰にも迷惑はかけずに済みます。といって、失敗を目指して修理してゆくわけではありません。

これほどの鋸を、もしいじり壊してしまったら、その所有が誰のものであれ、職人として首くらにゃいけないかなって思って目立し始めました。

甲野　それは凄いお話ですね。普通に考えたら、気楽に取り組めそうなところをあえてそうやって、ご自分を追い込まれるところが「さすがだな！」と思います。

土田　いやいや、父が目立技術の皆伝証書を発行してくれないもんですから、自分でどこまでいけるかを試してみただけです。といっても当方には皆伝証書発行なんてシステムはありませんが。

胴付のツル部（背金《せがね》）を鋸板より外し、それぞれの狂いのひどい部分を真っ直ぐになるように直し、再び組み上げて、真っ直ぐという状態になるまで修正してゆきます。

ツルから外すとペナペナな薄い鋸板を、木台の上で狂い直しの槌で叩いて直してゆくだけで大変ですし、また背金も、その溝に鋸板と同一の厚みのものを挟み、真っ直ぐに叩いて直し、その仮の鋼板を抜き取り、鋸板をはめ込んでみて、気に入らぬ所があって、また直してゆくということの繰り返しで、かなりな時間がかかります。
　つまり、鋸板とツルと部品が二つになっただけで、鋸板単体の修正のみでは済まない難しさがあり、鋸板単体の調和、背金単体の調和、鋸板と背金を組んだ際の調和という三体を実現しなければならないのです。

甲野　あちらを立てればこちらが立たず、こちらを立てればあちらが立たず、というようなことの連続なのでしょうね。そして、何とか折り合い点を見つけていかれるのでしょうが、どこで折り合いをつけるかは、本当に難しそうですね。
　もちろん、鋸にもよるでしょうが、そうした薄い胴付鋸の目立は、長くかかった場合では、どのくらいの日数がかかりますか？

土田　父が同じようなものを直した時、三年間も預かっていたものがあります。もちろん、気分が乗った時に二〜三時間ずつ直していったわけで、延べの作業時間としては一カ月弱＝二百四十時間程度のものであったはずです。
　父も手帳にその作業累計をメモしていました。そして、預かったお客様から目立代として七万円いただきました。これは二十五年前のことです。

甲野　目立代が七万円。これが高いか安いかは、とても簡単には言えませんね。

土田　良質な鋸が何枚か買えてしまう金額です。しかし、お客様は文句一つ言わず支払ってくれました。父がどれだけ手をかけていたのかも知っていたわけですし、二百四十時間の手間賃としては明らかに安いことも知っていたからです。

私も似たような鋸なのですから覚悟はしていました。ただし、もっと集中的に二百四十時間かかるにしても、数カ月の間には仕上げてみようと考えていました。それだけ自らの目立技術の成熟も実感していた時であったからでしょう。

夜業として三、四時間ずつ毎日ということを基本の日課としました。それを続けても、体力も気力も保てるほど若くもあったわけです。

甲野　結果は、どうでした?

土田　鋸板真っ直ぐ、背金も真っ直ぐ、二つを組み上げても真っ直ぐとなる状態になるまで、一カ月もかかりませんでした。後は一番簡単と思われる鋸目《のこめ》をヤスリで研磨し、その研磨によって呼び起こされる鋸板の小さな小さな狂いを調整して終わりです。

「何だ、集中してやれば父の半分以下の時間で十分可能ではないか」と思いました。

ところが目をすり込むと、思った以上の板の狂いが出ました。鋸板が薄いだけに刃列側の板の緊張をゆるめてしまうことでもある目の研磨は、せっかく調和させたものを崩してしまう度合が大きいわけです。

こうして板直し＋背金直しの工程と目のスリ直し工程を繰り返してゆくこととなります。すればするほど、どんどん理想に近づきます。夜業だけではなく、夢中になって昼間の仕事時間にも繰り込みました。

もう十分使用には支障ない域のものとなっていましたが、あともう少し精度を上げたいと、毎日思い続け、ひたすら作業をしていました。

甲野 そうなると、ゴールがどこか分からなくなりませんか？

土田 そうなんです！ もう、どこが終着であるのか自分でも分からなくなっている面もあり、続けていました。そんな時、父が見かねたように言いました。

「お兄ちゃん、仕事ってえのは、大工さんから預かった時より、少しでも良くなってれば、それが仕事なんだよ。いじり始めた時より十分良くなっているじゃねえか」

おそらく父が声をかけてくれなかったら終わりの見えない「さらに」を私はやり続けていたはずです。その継続で得られるものとは何でしょう。鋸板が無駄に減ってゆくだけのことです。

肩の重さがフッとなくなって、眉間のシワが伸び、胴付鋸そのものが視界に収まります。後は使って切れなくなったら、また目立や板直しをして……という未来が見渡せた気分になりました。

つまり私は熱中し過ぎて、そんな当たり前で簡単なことも分からなくなっていたわけです。父が私に目立技術において教授してくれた唯一で最高のアドバイスでもありました。

甲野 そうですか。伺っていて、何かこちらもホッと肩の力が抜けた気がします（笑）。

しかし、土田さんに、「もうその辺にしておいたらいいよ」と諭されたお父様も、確か千代鶴翁の「剳小刀」だったかを知人に貸して研ぎ崩されたものを六百時間もかけて研ぎ直しをされ、その研ぎ上がりを見た千代鶴翁に「土田君、君はもう研ぎをしてはいけません。こんなことをしていたら、暮らしていけなくなってしまいます」と喉に手を当てて首がなくなる仕草をして諭されたという経験をされているとか。

まあ凝り出せばキリがない凝り性は、お父様譲りですね。

土田 確かに、そうかもしれませんね（笑）。甲野先生はそういったご経験はありますか？

甲野 私の場合、私自身が直接作業をしたわけではありませんが、私が使う刀の切先の帽子のフクラと呼ぶ刃のカーブの具合と「横手筋」と呼ばれる切先部分の刃と地と、それに続く刀身部分の刃と地の境目に入る稜線《りょうせん》の所の幅に、非常に細かいこだわりがあり、親しかった研ぎ師のSさんが「もう勘弁してくださいよ……」と音を上げられたことがあります。

これは、まあ私の好みの問題で、実際の技とは関係ありませんが、技に関する「術」の部分で、もう何十年も追求している難解な課題の一つに手裏剣術における掌の滑り具合への対応の問題があります。

　私が稽古している手裏剣術は、直打法という棒状の剣を約四分の一回転以上させないで飛ばす方法であることは、すでにお話ししましたが、この直打法の場合、剣と掌が生乾き状態となっている時は摩擦が大きく、そうすると剣が掌から離れにくくなって、掌が乾いている時や濡れている時より回転しやすくなってしまうのです。これを何とかしたいと思い、どれほど工夫を凝らしたか分かりません。

　しかし、多少効果的な方法は工夫しましたが、本当に納得のいく方法はまだ見つかっていません。何しろ掌が濡れている時は滑りやすく、生乾きでは滑りにくいのですが、その滑りにくさも数秒単位で変化していくのですから、本当に大変です。

　しかし、こうした容易には解決のつかない課題を抱えることは、武術全体の動きのレベルを上げることにつながるようですね。

　ですから、土田さんのお父様や、土田さんのお気持ちは大変よく分かります。

土田　こういった生の経験を、人と直に接することによって幾度も経験してゆくうちに、熱中度の緩急、作業工程内での動作の緩急、生活サイクルや思考の緩急を覚えてゆき、死ぬまで仕事し続けていけるだけの姿勢を学び取っていったのだと思います。
「手軽に入手出来る知識や情報には気を付けろ」なんて言っても仕方のない時代だと思いますが、そのものに触れて修得し、足でかせぎ、生身の人間というなかなか厄介な部分もある異物に接してこそ見えてくるものもあり、こうした生き方は、「やり方が古いよ」と言われるかもしれませんが、捨てたもんじゃない気がします。

日本経済には多大に寄与し得ないであろうことが、少々心苦しいわけではありますが。

甲野 いや、経済に寄与しなくても文化には多大な寄与・貢献をしていると思います。人が人として生きている生な原動力つまり「生き甲斐」は、何かに感動することであり、経済つまりお金は、その手段で間接的なものですから。生の感動を育てることに役立つということは、人が人として他の人のために存在する、最も本質的な理由なのではないでしょうか。

あとがき

土田昇

甲野善紀先生との出会いは、先生よりお手紙をいただいたことに始まります。ワールドフォトプレス社で出した『千代鶴是秀』という本を読んでくださり、感想を手紙にしてくださいました。もう十年も前のことです。大変失礼なことではありましたが、私は「甲野善紀」という差出人の名前を見ても、どこのどんな方であるのか、まったく知りませんでした。ただ、文中に「私ごときが」という文言がいくつも使われていることが印象的なお手紙でした。そして対談集を出しませんか、とのお誘いの内容も書かれていました。

私はお手紙の礼状として、『千代鶴是秀』は父、土田一郎が千代鶴是秀と交流した経験を元にとりまとめたものであり、私自身はそう大した人間ではないので、対談集など無理です、と返事したと記憶しています。つまり、私も「私ごときが」と返したことになります。それでも甲野先生はご著書を出版されると、きちんとお送りくださり、それらを読ませていただくうちに、ずいぶん有名な方であることも知り、また武術家といっても、とんでもなく多分野に活躍されていることも知りました。

　正直、対談集をやんわり断ったことは正解だと感じました。大工道具のことしか知らない、鍛冶屋や台屋や柄屋にしか興味の湧かない私が、かなりマルチな才能と知識を持った方とお話しても、迷惑をかけてしまうばかりと思えたのです。そのうち、先生が訪ねて見えられ、先生の講座で大工道具の話をするよう依頼をされました。「お店で職人さん相手に大工道具の話をするような気持ちで」と先生はおっしゃられました。岡倉天心《おかくらてんしん》が高村光雲を美術学校の先生に誘った方法に似ているなと思いました。もちろんお受けいたしました。大工道具の話であれば、私の専門分野ですから。光雲の足元にも及ばぬ小人物でありますが。そんなこんなで導かれつつ、無理だと思っていた対談集にまでこぎつけてしまったのが、この本です。

　先生の熱意に私自身も少しは成長したのかもしれません。つまり先生の作戦勝ちです。今でも本当に本にしちゃって良かったのかなという気持ちが心の片隅にあります。どう考えても「武術家vs.芸術家」「武術家vs.哲学者」なんて組み合わせに比べると重厚感に欠けることはもとより、真剣勝負が成立するのかさえ危ぶまれる不釣り合いさです。

　ただ唯一、大工道具に関わる分野で誇れるものは、名人・名工と呼ばれるにふさわしい工人が確かにいたこと。その方々は今、書籍やTVで紹介され、もてはやされている著名な職人・工人とは、まるで違った人たちであり、その無名性のうちに密やかに追随はおろか模倣すら許さぬまでの技量を有していたということです。

無名性をことさら価値のごとく扱う気などありませんが、刃物を鍛え、刃物を研ぎ、木材を加工してみることに従事してみれば、彼らの知名度合など元々問題にする必要はなく、位階たらざる次元で、その製作物は別世界を垣間見《かいまみ》せてくれるはずのものなのです。彼らと彼らが作り出したものを目の当たりにする時、それこそ「私ごときが」という言葉を生起せざるを得なくなります。

その「私ごとき」の「私」が、別世界たるものを生み出し得る工人を舌足らずに解析・解釈した歩みが、父や私がなしてきたことに他なりません。才でなしてきたことではなく、諦めもせずに継続の力で、誇り得る工人やその技術を探ってきたわけですから、天才が発見し、走り書きした美しい公式を、なぞりつつ清書してみただけのものかもしれません。

ですから、「武術家vs.大工道具屋」とは依然として不釣り合いなまま、甲野先生が清書の裏に隠された走り書きの圧倒的な勢いを感じることでしか、成立の見込みのないものであったはずなのです。それを成立させてしまいました。

「甲野善紀vs.千代鶴是秀」であるとか、「甲野善紀vs.長谷川幸三郎」であってしかるべきものを、「いやいや、どうも、是秀も幸三郎も残念ながら亡くなっておりますので、あっしが……」と、私がノコノコ場違いも顧みず一席ブってしまったものとも言えます。

しかし、甲野先生には何かしらの目算があったのだと思います。黙考しつつ動作し、沈思しながら言葉を発するような先生に接してみれば、こちらの至らなさの背後にあるものを、的確につかみとり、その走り書き的勢いのエッセンスをしぼり出す能力に至極恵まれた方であることが分かるのですから。この対談をお読みになって分かる通り、先生は「甲野善紀vs.名人鍛冶・名人大工」を実現してしまっているわけです。しかもしぼり出したエッセンスが、現実の社会において、どう有効に生かされるべきかの視野までお持ちのようなのです。

大工道具屋は、あるいは職人と呼ばれる人たちは、そこまで高邁《こうまい》な視野を持たないものです。技術の深層とは、単純に理屈の世界に過ぎません。なぜそれが成し得るのかは、解析してゆけば当たり前の集積物であることに気付きます。思わず膝を打ちたくなるような工夫も、「その手があったのか」と、より純度の高い当たり前さに感嘆するにすぎないものと言えます。ですから、成し得る技術を修得した者は、「そうであって当たり前」のことを自らの仕事に反映させる以外の視野を持たないのです。

これは一つの職人道徳であるのだと思います。その理屈はもしかしたら職人仕事内に留まらず、人の社会全体に及ぶような、魅力的当たり前さの偉力を持つものなのかもしれないけれど、あえてその反映を目論見《もくろみ》ません。なぜでしょう。精製された技術の流出を防止するため。そんな理由もかつてはあったのやもしれません。でもおそらく違うでしょう。当たり前に考え、当たり前に身体を動かす仕事を続けていれば、そこに行き着くしかないことを身をもって体験してしまっている以上、解説する必要もないと思えましょうし、無理に反映を試みて、余計なお世話などと煙たがられる危険を回避していたのだと思います。つまり、「気付くヤツは自然に気付くし、一生気付かないヤツは気付かない。そのままでもいいじゃない。それが人間社会の自然な状態なのだから、むしろどれほど魅力的で美しい技術、その技術に付随した思想であっても、人に共有させようとする試みは礼節に欠ける」というような道徳の元に、口をつぐむこととなります。

対談中にも登場する野村貞夫という名人大工は、昭和四十年代、「室内」（工作社）という雑誌に連載をしたことがあります。大工の技術的なことに関する文章なのですが、名人大工も名人鍛冶も、名建築も名設計士も登場しません。そして、道徳やら心得やら思想哲学も皆無です。極めて抑制を利かせて家屋を建てる際の部分部分の提案的工作法が書き連ねられてあるのみで、「木を買わずに山を買え」などという大風呂敷的表現と対極にある文章です。

おそらく発表された当時も、一般的な方はもちろん、鍛冶屋が読んでも、設計士が読んでも、そして大工道具屋が読んでも、面白いか否か以前に「……？　……」という印象を持つ文章だと思います。ただし、当時の現場で働く大工、人が住む家を建てる真面目な職人には好評を得ます。

つまり「そんな単純で良い方法があったのか。なぜ今まで気付かなかったのだろう」と思わせる内容で埋め尽くされていたからです。しかも、その時代の一般的な住宅建築工法を熟知したうえで書かれていますので、絶対的工法、理想的工法という印象を与えず、つまり非永遠性を受け入れて提案されています。この先も考えてごらんなさい、というスタンスです。

十回足らずの連載でしたが、私が仕事を始める昭和五十年代にも古い雑誌から野村の文章の所だけをコピーして簡易製本して参考にしている若い大工さんが何人かいました。名言集でも虎の巻でもないにもかかわらずです。無名で真面目な普通の大工さんだけに伝達するよう意図されたその文章は、野村さんの目論見通り作用したこととなります。そんな芸当をし得てしまう名人でしたが、連載を終わっての感想は「俺は金輪際、原稿なんて書かないからな。大工が恥を掻《か》くのは現場だけで十分」というものであったそうです。

あれほどの上手な職人が口をつぐむ方が賢明と言っているのに、私はなんという節操のなさなのかとも思います。とは言え、八っつぁんがいて、熊さんがいて、長屋の大家や、ご隠居さんがいるのが世の中ってもんです。その会話の豊かさや温かみに身を預けてみるのも、たまには良いものです。「口の減らねえ野郎だな」なんて言われながらです。

甲野先生、この本の編集を担当してくださった平尾文さん、剣筆舎の永田さん、ありがとうございました。明日から、また研いで、台入れして、柄入れして、目立して暮らしてゆきます。

二〇一九年十二月

「甲野善紀氏と土田昇氏の対談本『巧拙無二』出版応援プロジェクト」は、クラウドファンディング運営サイト「CAMPFIRE」を利用し、2,000,000円を目標金額に、2019年8月20日から募集を開始、同年10月11日に終了。306名もの方より、期待を大幅に上回る2,237,000円のご支援金をいただき、実現いたしました。
温かいご支援を賜りましたこと、誠にありがとうございました。
ご支援者のお力添えなくして、本書はこの世に誕生しませんでした。
皆様のご厚志に心より感謝申し上げますとともに、さらなるご発展をお祈り申し上げます。

関係者一同

CAMPFIRE
甲野善紀氏と土田昇氏の対談本『巧拙無二』出版応援プロジェクト
ご支援者の皆様

堀衣美子
hokabear
望月千佳世
田仲 健太郎
齋藤準也
細谷毅
古田島佑太
小難香椎之助
岡部真美子
伊藤幸子
金山 孝之
五十嵐 剛
米澤真
松本哲児
堀内　匠
神尾修身
大西伸之介
中田進平
上番増喬
市島健吾
Salsiccia!DELI すずき
ブラジルのやまちゃん
義久雄介
鈴木 直啓
京極英雄
斉藤健司

遠山裕士
土田　悟・雅美
渡邉佐和子
加藤 那美子
北方人次郎七
新井淑和
本多 絵美子
あびとらぷいきゅあーw
嶋岡　健
ハレルヤ男
関根　弘二
安田政之
名黒和也
浦林幸輝
長嶋益子
松本佐恵子
山本豊人
A.Banba
森元雅貴
中山雅夫
久我英
平野　亮
岡﨑　駿
井上 欣也
濵口一成
土田光明

馬原 考正
三浦　伸晃
阿部晃士
川原田 喬生
岸田 歩
市原孝
大野利行
有江光
まかべ
田村光啓
石田英士
中村　裕江
冨永達也
宮崎淳子
黒田辰徳
小松マサキ
設樂友崇
赤澤 賢
後藤忠厚
望月利秀
野坂政司
OfficeDS 柴田大輔
内藤健一
鷹駿
松村 佳代子
庄子 賢治

CAMPFIRE
甲野善紀氏と土田昇氏の対談本『巧拙無二』出版応援プロジェクト
ご支援者の皆様

大川　宏
上野　修
井戸 悠生
渡辺べん
おおたにきみよ
横濱大介
生和
y.nakano
tk
平尾直子
中堀　清
和久田　行哉
城博司
丸山 進二郎
伊藤慶彦
いのうえただし
古川　泰士
加藤　尋明
冨川
馬場 聡
シン
宮永雅子
平居宏朗
渡利さくら
兵頭冬尉
瓜谷 茜

野島伸仁
引地 功太朗
三浦裕子
ITSUKAICHI
木戸光子
松岡恭子
宇佐美和夫
村田夏希
須賀悠太
花村翔太郎
河豚刺し
つじ鍼灸院
幾田泰則
南部勇木
鈴木恵子
岩下 寛
岩渕貞太
本多祐士
稲田知宏
鈴江真也
おぐいち
兵道亮太
KEIKICHI YOSHIDA
大橋力
四辻 勇介
由田康二

宇野澤昌樹
白川智一
佐藤友司
中村　保夫
MOCHIDUKI
長谷川達也
三橋紀子
渡邊秀範
新井　健之
元井 須美子
笠井秀一
橋田和則
包國文朗
大塚実穂
榊原享寛
株式会社昇生
YUKO-KAT
西方慎一郎
津田 純
濵島一範
木村陽
田代友成
大西一暢
岸 叡行
古田靖
中村昌典

CAMPFIRE
甲野善紀氏と土田昇氏の対談本『巧拙無二』出版応援プロジェクト
ご支援者の皆様

安原 伸家	相馬	藤曲隆哉
パロミタ	小平木念	馬淵正
久保正幸	中川悠里子	金堂 礼
池本和優	石社修一	稲月剛久
石川信行	出島　透	山内ゆうじ
jari	中西　眞	伊藤諒耶
末木照久	S. 今井（難場歩き研究者）	高岸亜耶乃
今泉幸裕	kaname fukuoka	K. N.
関貴之	小熊 規郎	石田充良
渡邊美嘉紗	島尾　完	三輪 浩康
沢畑雄也	キントキ芋の助	廣末　貴子
ひふみみの父	出川 崇司	藤澤修
丸山 進二郎	さき	髙橋武尊
松井仁志	くつま舎　久都間ひろみ	上長野ゆみ
池田勇一	田村明士	伊藤直輝
赤井歯科医院	渡部真樹	内田秀樹
縄田祐子	宮本康子	植村　卓司
仲村幸江	高橋 透	関朋子
方条 遼雨	北村仁資	兒丸祐依
北川和弘	こころほっと鍼灸院@駒込	佐藤千晴
江崎義巳	堀江剛史	久我真由美
小磯　直樹	安藤直之	佐藤直美
三好 達夫	岡田雅彦	杉山大二郎
志伊真和	藤林直子	溝脇　元志
草加 貴紀	角　悠介	システマ東京
藤野貴之	菊池　信也	くぼたひろふみ

CAMPFIRE
甲野善紀氏と土田昇氏の対談本『巧拙無二』出版応援プロジェクト
ご支援者の皆様

中井安紀江	常松 裕
雲のように	浜島治療院 浜島貫
光岡英稔	田中晶子
YOKO	（株）サムライ・エッジ・ジャパン
小池　りえ	中妻 穣太（板橋区議会議員）
田上　優	廣住直美
白川真理	オギノエンファーム
前田　健吾	桂島
夏目弘之	髙梨悟
南条知則	丹羽　農
山口潤	山上　巨人・美由喜
田島大義	武藤幸子
津森正則	加藤松男
鳴神響一	加藤寿男
小鳥遊葵	加藤さよ子
伊藤みさと	野上久一
大城綾	栗林利紀
寺島みどり	ateliermizuenogu
鈴木照了	中村藍海
中島　章夫	髙田　将人
藤沢　聖子	明水亭 上原正典
大内貴之	安田佳生
河野　淳	岩渕照雄
中野 論之	荒川靖彦
蓮井　邦弘	香川鍼灸すんの会
とっ	山本尚美

（敬称略／順不同／希望者のみ掲載）

著者略歴

甲野善紀（こうの・よしのり）
1949年、東京生まれ。20代はじめに「人間にとっての自然とは何か」を探究するために武の道へ。1978年、松聲館道場を設立。以来、日本古来の武術を伝書と技の両面から独自に研究し、2000年頃から、その成果がスポーツや音楽、介護、ロボット工学などの分野からも関心を持たれるようになり、海外からも指導を依頼されている。2007年から3年間、神戸女学院大学で客員教授も務めた。2009年、独立研究者の森田真生氏と「この日の学校」を開講。現在、夜間飛行からメールマガジン『風の先・風の跡』を発行している。おもな著書に、『剣の精神誌』（ちくま学芸文庫）、『できない理由は、その頑張りと努力にあった』（聞き手・平尾文氏／PHP研究所）、『ヒモトレ革命』（小関勲氏共著／日貿出版社）、『古の武術に学ぶ無意識のちから』（前野隆司氏共著／ワニブックス）などがある。
松聲館公式サイト　https://www.shouseikan.com/
甲野善紀 Twitter　https://twitter.com/shouseikan

土田昇（つちだ・のぼる）
1962年、東京生まれ。土田刃物店三代目店主。父・土田一郎氏より継承した千代鶴是秀作品を研究するとともに、木工手道具全般の目立て、研ぎ、すげ込みなどを行う。神戸に建つ竹中大工道具館の展示や研究にも協力。ものつくり大学技能工芸学部で非常勤講師を務めるかたわら、朝日カルチャーセンターをはじめとする、全国の手道具団体・木工具団体に講師として招聘されている。近年では、名工作品の鑑定士として、テレビ東京系列のテレビ番組「開運！なんでも鑑定団」に出演し、伝統木工具の目利きをしている。おもな著書に、『千代鶴是秀』『千代鶴是秀写真集①②』（写真・秋山実／ワールドフォトプレス）、『時間と刃物』（芸術新聞社）、『職人の近代』（みすず書房）などがある。
土田刃物店 Twitter　https://twitter.com/narauko

ライティング＆構成

平尾文（ひらお・あや）
1987年、香川生まれ。2011年、神戸女学院大学文学部を卒業後、大学事務職員、法律事務職員を経て、フリーランスライターへ。武術家やスポーツ選手、音楽家、職人など、身体に関わる技芸の深奥を広く紹介するライターを目指している。これまで携わった作品に、『今までにない職業をつくる』（ミシマ社）、『できない理由は、その頑張りと努力にあった』（甲野善紀氏／PHP 研究所）、『ヒモトレ革命』（甲野善紀氏と小関勲氏共著／日貿出版社）などがある。
平尾文 Twitter　https://twitter.com/hi_obun

過去現在未来を繋ぎたい。
ヒトモノコトを結びたい。

剣筆舎

巧《こう》拙《せつ》無《む》二《に》

近代職人《きんだいしょくにん》の道徳《どうとく》と美意識《びいしき》

2020年2月6日　初版第一刷発行

著　者　甲野善紀《こうのよしのり》
　　　　土田昇《つちだのぼる》

発行者　永田勝久
発行所　株式会社剣筆舎
〒202-0023
東京都西東京市新町 6-2-6-311
電話：0422-55-5134
http://kenpitsusha.jp/
E-Mail：info@kenpitsusha.jp

ライティング＆構成　平尾文
装　画　高杉千明
装　幀　鈴木俊文（ムシカゴグラフィクス）
写　真　大駅寿一
本文組版＆図版　株式会社キャップス
本文校正　株式会社みね工房
印刷製本　株式会社シナノパブリッシングプレス

ISBN978-4-910083-00-1